Autorretratos y espejos

Autorretratos y espejos

Gloria Durán

The University of Connecticut at Waterbury

Manuel Durán

Yale University

Heinle & Heinle Publishers, Inc.
Boston, Massachusetts 02116 U.S.A.

Publisher: Stanley J. Galek
Editorial Director: Janet Dracksdorf
Production Editor: Vivian Novo MacDonald
Production Manager: Erek Smith
Production Coordinator: Patricia Jalbert
Internal and Cover Design: Joyce C. Weston

CREDITS: Photographs of B. Alexander, S. Alexander, Borges, Carandell, Carrascal, Cuevas, Donoso, Echeverría, and Rioja courtesy of Gloria and Manuel Durán or the subjects themselves. Other photos: Arreola © AP/Wideworld Photos; Cardenal © Oscar Sabetta, UPI/Bettmann Newsphotos; Fuentes © Jim Bourg, UPI/Bettmann Newsphotos; Poniatowska © Layle Silbert; Suárez © UPI Bettmann Newsphotos.

Manufactured in the United States of America.
ISBN 0-8384-1581-4

10 9 8 7 6 5 4 3 2 1

Preface

Literature or culture? There should be no need to make a choice. But in readers for second- and third-year Spanish courses the unnecessary choice must usually be made. Either we settle for culture, often presented in terms of the lowest common denominator, or we risk exposing students to the full challenge of literature.

How can we make literature palatable once more for generations of students whose staple diet has been not books but television? Obviously, we must approach literature with caution. We must help students discover literature for what it is: the fruit of culture, culture that has been assimilated and verbalized by a creative individual.

One of the reasons for a new edition of *Autorretratos y espejos* is to combine literature and culture by introducing leading figures in our cultural environment and then presenting examples of their works. In personal revelations they tell us why they write (or dance or paint) and how they view conditions in their own countries and in the world at large. And once students feel that they are beginning to know these people and would like to see what they can do, we satisfy their curiosity by providing an example of each writer's work.

This new edition of *Autorretratos y espejos* retains several of the original interviews which have provided such excellent springboards for classes in the past. As in the earlier volume, the interviews have been conceived and recorded with the interests and capabilities of intermediate Spanish students in mind. The language is the simple language of conversation. Again we have included not only literary figures, but outstanding representatives of the graphic arts, theatre, television and the world of politics.

The basic format of the new edition is the same as that of the first one. The first section, *Autorretratos*, deals with the lives of our writers and artists. They are themselves the subject of the interview or personal essay and their words are a verbal approximation of a self-portrait. In the section which we call *Espejos* the focus changes. Here the interviewees talk not so much about themselves as about matters that concern them deeply: the future of humanity, the problems of injustice, the growth of democracy, the possibility of nuclear war, etc. The *espejos* are the eyes of the acute observer reflecting images of the world.

A book of this nature, therefore, is ideally suited both for those students who intend to pursue the study of the language by reading its literature and for those who wish only to perfect their spoken language and to acquire an introductory knowledge of Hispanic culture and society. In order that the book be as useful pedagogically as it is entertaining, speaking and writing skills are developed through the exercises that follow each chapter. These exercises deal largely with vocabulary building, verbal accuracy, drill in prepositions, use of articles, and idioms. They are designed to strengthen the students' confidence in handling the language rather than ensnare them in constructions beyond their depth.

In addition to the exercises each section contains questions that are divided into three parts. The first, entitled *Preguntas*, is factual and may be used as a homework assignment to check comprehension of the interview. The second, entitled *Opiniones*, provides topics for debates in class or for written composition. The third section, called *Conversación*, which is new to this edition and is intended to stimulate conversation among students, allows students to apply insights from the interview to their own lives, to talk about themselves, their own values and concerns. Although the themes suggested in the interviews or in the opinions solicited may be highly controversial, it is our belief that debates and emotionally charged conversations create an excellent environment for the learning and meaningful use of a foreign language.

Finally, the section *Selecciones literarias* is a collection of short stories and poems written by some of the interviewees. Each selection is fully glossed and preceded by an analysis of the work designed to facilitate both understanding in a literal sense and literary appreciation.[1] Since each analysis covers plot, theme and any difficult references or idioms in the literary work, it is important that students read the introduction before reading the work itself. With the help of these introductions, and having already become acquainted with the authors through the interviews, students should find that reading literature can be a highly pleasurable experience.

---

[1] Those selections with extremely rich vocabularies or with highly complex ideas — like Borges' or Fuentes' — are preceded by fairly detailed analyses. Those which are easy to understand (the majority) have only the briefest of introductions. In all cases the introductions to the literary selections are in English.

To the Teacher

Those of you who believe that the best way to introduce literature is for the student to read the writer's work and then develop an interest in him or her as an individual may assign the literary selections first and supplement them with the brief biographies and interviews which appear in the first and second parts of the book. In short, like *Rayuela*, this book may be read in many directions. However, although the interviews themselves do not vary greatly in difficulty — since for the most part we use colloquial language — there is considerable variation in the difficulty, as well as the length, of the literary selections. (Length, however, is no measure of difficulty. For example, the story by Brígida Alexander, although one of the longest, is also one of the simplest.) We would suggest, therefore, that a difficult writer, like Fuentes, be allocated at least twice the time given to those who write either shorter or simpler prose. It is this consideration (the use of *Autorretratos y espejos* as a pedagogical tool) that has determined the order in which our interviewes appear. Our assumption is that most teachers will use the material in the order presented, and that following the interview they will assign the literary selection as homework. For this reason Fuentes appears between Elena Poniatowska and Luis Carandell, since the latter chapters require relatively little time. However, if you wish to employ a different order, we have indicated the easier selections with an asterisk in the Table of Contents.

Autorretratos y espejos is also extremely flexible in that you can use as much or as little of it as you deem fit for the needs of your class. For classes at the lowest intermediate level, it may be advisable to read only the introduction and interview in each chapter and do only the exercises and factual questions. For more advanced classes at the intermediate level the exercises and factual questions might be omitted in order to allow more time for *Opiniones* and *Conversación*. There are many questions within the latter sections that are also suitable for written composition.

If the primary objective of the class is language proficiency, rather than culture or literature, we suggest that the interview be read, or enacted orally in class, with frequent changes in roles among the students.

In advanced classes, or courses in conversation and composition, the interview, along with its biographical introduction and factual questions, may be assigned as homework, and the entire class period devoted to the discussion of issues presented under *Opiniones* and *Conversación*. This approach may also be followed in handling the literary selections. These (together with their introductions) may be assigned as homework while class time is devoted to students' individual reactions to the stories using the questions following each story *(Conversación)*.

If the procedure suggested above is followed, the entire text can be completed in the course of one college semester. The longer chapters, those involving literary personalities and also examples of their work, will be compensated for time-wise by the shorter chapters which have no literary apparatus. On the average, each chapter will require about three class periods.

One final explanation: in order that conversation among students be as informal as possible, sections designated as *Opiniones* and *Conversación* are presented using the pronoun *tú* in all the chapters. The assumption here is that students will be talking to each other. In cases where the interviewee is a personal friend of the interviewer or a person of approximately the same age, the informal *tú* prevails throughout the chapter. However, when dealing with venerable personalities like Jorge Luis Borges, the *usted* form was used. This variety in modes of address is an attempt to make students sensitive to the way grammar reflects social situations and to make them comfortable with the use of either pronoun.

To the Student

Autorretratos y espejos (self-portraits and reflections) is a book about people: famous people in Spain and in Latin America, their private and public lives, the secrets of their success as writers, painters, actors and actresses, politicians and foreign correspondents. We learn about these celebrities in interviews which are very easy to follow because when they speak, even great writers do not use complicated language.

The names of our interviewees will be familiar to many readers of this book. They are celebrities like Jorge Luis Borges, Carlos Fuentes, Adolfo Suárez, Ernesto Cardenal, Juan José Arreola, Pilar Rioja and José Donoso. Others, like Susana Alexander, a leading television actress in Mexico, or Alicia Echeverría, ex-guerilla fighter in Gautemala, who recently published her memoirs, are less well known in the United States. But all are fascinating conversationalists with experiences and opinions which are bound to hold the reader's interest. And if our readers are as curious about the prose or poetry written by the interviewees as we hope they will be, there are examples of their work with helpful introductions on how to read these short stories, biographies, science fiction, etc. in the third part of this book.

Acknowledgments

We would like to express our appreciation to Professor Joyce Haggerty at Framingham State University (Massachusetts) for her many valuable suggestions as well as to Professors Janet Moriarty of the University of Connecticut at Hartford and Susana Chica Salas of Hopkins Grammar School-Day Prospect Hill for the fine interviews which they contributed to this book.

Our thanks also go to Professor Florence Talamantes of San Diego University for the encouragement that her enthusiasm for the first edition of this text has given us in preparing the second edition.

Among the others who deserve thanks are the students at the Waterbury and Hartford campuses of the University of Connecticut who have acted as cheerful guinea pigs in testing much of the material included. We are particularly grateful to the students of Spanish 278 (Composition and Conversation) at Waterbury for making us even more sensitive to students' needs and interests.

We would like to acknowledge gratefully the contributions of the following reviewers: Alan Garfinkel (Purdue University), Joy Renjillian-Burgy (Wellesley College), and Lynn Sandstedt (University of Colorado).

Finally, we would like to thank Stanley Galek, publisher; Janet Dracksdorf, editorial director; Vivian Novo MacDonald, production editor; and Lois Grossman and Carmen H. Martínez who helped to make this book as error-free as textbooks are ever likely to be.

Gloria Durán
Manuel Durán

Contenido

Autorretratos

Espejos

Selecciones literarias

* Las selecciones más fáciles de leer.

I. Autorretratos

"No se aprende, se nace siendo escritor."

Juan José Arreola: La educación de un escritor

Juan José Arreola es uno de los grandes cuentistas y humoristas de Hispanoamérica. Nació en el pueblo de Zapotlán (el mismo lugar de nacimiento del gran pintor mexicano, José Clemente Orozco[1]) rodeado° de montañas y volcanes. Nos cuenta que la erupción de uno de esos volcanes en 1912, seis años antes de su nacimiento, tuvo el resultado de que todos los viejos creyeran que llegaba el Juicio Final°. Pero Arreola dice que se acuesta cada noche tranquilizado por los geólogos de que "esta bomba que tenemos bajo la almohada° puede estallar° hoy en la noche o dentro de los próximos diez mil años."

surrounded

Final Judgement

pillow/burst, explode

Hoy día pasa más tiempo en la capital que en su pueblo natal°; es periodista, comentarista en la televisión y una de las personalidades más conocidas en México. A diferencia de la mayoría de escritores latinos, Arreola es autodidacto.° a los 12 años dejó de asistir° a la escuela y empezó a trabajar en el taller° de un encuadernador° y luego en una imprenta°. Él dice que desde 1930 ha desempeñado° más de veinte oficios; ha sido vendedor ambulante°, periodista, impresor°, comediante°, panadero°, etc. Entre sus libros más famosos se incluyen *Yo, señores* (1966), *Varia invención* (*Various Inventions,* 1941-1953); *Confabulario* (*Collection of Fables,* 1949-1961); *Bestiario* (*Bestiary* 1951-1960); *Prosodia* (*Pronunciation,* 1951-1961), *Cantos de mal dolor* (*Songs of Grief,* 1965-1966), y *La feria* (*The Fair,* 1963). En los Estados Unidos Arreola es conocido sobre todo como cuentista, pero en México y América del Sur se le aprecia también como crítico literario y social.

birthplace

self-taught/ stopped attending/workshop/ bookbinder/ printer's workshop/had, held jobs, trades/ travelling salesman/printer/ actor/baker

❧❧❧

[1] José Clemente Orozco (1883-1949), Mexican muralist and painter.

MANUEL DURAN Te veo tan bien instalado en esta sala, con tantos libros y máquinas de escribir, que se diría que naciste ya siendo escritor, y naciste en una biblioteca. Pero todos empezamos en forma más humilde. Quisiera saber cómo empezaste tú, qué te preparó en tu infancia para ser escritor, en otras palabras, ¿cómo se llevó a cabo° el milagro?

took place

JUAN JOSE ARREOLA Es cierto que mi vocación de escritor se despertó en mi infancia. Tuvo lugar en mí un descubrimiento, en gran parte no consciente, de que había dos lenguajes°. Un lenguaje que usábamos todos los días, para organizar nuestras vidas cotidianas°. Para pedir que alguien nos diera agua o nos abriera una puerta. Y, además, existía otro lenguaje, más solemne, importante, y casi sagrado°, que trataba de otras realidades y nos permitía pedir que se abrieran otras puertas. Era un proverbio, una canción, un pequeño poema que alguien recitaba. Algo pasaba en aquel otro lenguaje: tenía un ritmo° especial, no se refería a cosas de todos los días. Y, además, al segundo año de ir a la escuela, descubrí que había otra realidad, el lenguaje escrito, que a veces se parecía al lenguaje de todos los días y a veces al lenguaje especial.

languages
everyday
sacred
rhythm

Me cautivó inmediatamente el lenguaje especial, el lenguaje de los refranes y los pequeños poemas, porque lo sentía unido a un mundo de sabiduría° popular muy vieja, y además era un lenguaje que expresaba sentimientos°, emociones. Me atrajo° desde el principio la música del idioma, la melodía de algunas palabras, algunas frases. Lo que provocó en mí la voluntad de escribir fue que creí, en algún momento, que algo se podía añadir° al tesoro° del lenguaje que nos había llegado de nuestros padres y nuestros abuelos. Añadir una frase nueva, un pequeño poema, la letra de una canción, era aumentar la riqueza° del país. Y desde muy chico empecé a aprender y recitar pequeños poemas.

wisdom
feelings/ attracted me
to add/treasure
wealth

MD Es cierto que un escritor observa siempre los ritmos del lenguaje, el aspecto peculiar y muy expresivo de algunas palabras y frases. Pero para observar hay que tener la ocasión de hacerlo, la oportunidad de ver o escuchar el lenguaje en acción. Todo empieza por una experiencia que tiene lugar en la casa, o en la calle, o bien en la escuela, y en muchos casos en estos tres lugares a la vez°. Pero quizá en tu caso hubo un centro de aprendizaje° más activo que los otros.

at the same time
learning

JJA Yo escuchaba donde podía, en todas partes, y aprendía también en todos los lugares, casi sin darme cuenta. A los cuatro años acompañaba a mis hermanos, mis tres hermanos mayores, que iban a la escuela en Zapotlán, que es una ciudad de Jalisco°, no muy grande, pero tampoco tan chica, y mis hermanos me dejaban ir con ellos a la escuela: me escondía° en un rincón°, y escuchaba. Nadie me reprochó mi pre-

a state in central Mexico/would hide/corner

sencia. Era aquello casi como un teatro, con gente que se movía, recitaba, hablaba en voz alta, y todos parecían muy seguros de lo que hacían: un mundo asombrosamente° adulto y maduro. Y yo allí, de espectador, escuchando y aprendiendo casi sin darme cuenta de lo que hacía. Y, como te digo, mis hermanos me llevaban de la mano, me sacaban de casa para que no ocasionara allí molestias°. Eramos una familia numerosa, catorce hijos, yo era el cuarto, y me llevaban con ellos a la escuela para que me divirtiera. Imagínate, un colegio de monjas°, de monjas francesas en el sur de Jalisco. Y yo corría por todas partes, sin saber qué quería. Me introduje° una vez adonde estaban enseñando un poema a muchachos de quinto año — yo no estaba ni siquiera en el primer año — y allí, escondido tras° unas sillas, me quedé un buen rato°... y me aprendí el poema. No hablaba bien todavía, no tenía una dicción clara, mi lengua se trababa° a veces°, pero voy llegando a mi casa y me pongo a recitar el poema. Y mis padres y mis hermanos, sorprendidos, me aplaudieron. De pronto° había encontrado algo que sabía hacer mejor que mis hermanos y que los demás° admiraban. Desde este momento, en 1922 y 23, a los cinco años de edad, empecé a hacer una especie° de teatro individual, una especie de espectáculo. Me subía a una silla, y empezaba a recitar, a decir cosas extraordinarias. Recitaba, entre otras cosas, *El Cristo de Temuca*. Temuca es un pueblo de Jalisco, y un cura° de este pueblo, Alfredo Plasencia, resultó un notable poeta provinciano. Yo recitaba su poema, otros poemas, y allí, de este modo, comenzó mi interés por la literatura.

surprisingly / *wouldn't cause trouble* / *nuns* / *I slipped in* / *behind* / *a long time* / *I used to get tongue-tied/at times/suddenly* / *other people* / *a kind* / *a priest*

MD Más o menos es la historia de la niñez° de García Lorca[2], con su temprano despertar a la poesía y al teatro.

the childhood

JJA Sí, en efecto, algo muy parecido me sucedió a mí. Pronto, además, me convertí en verdadero actor de teatro infantil y juvenil, actué° con grupos teatrales aficionados° y con estos grupos aprendí muchísimo. Dejé el teatro en mi adolescencia para ponerme a escribir, y más tarde volví al teatro, pero antes se produjo mi experiencia como maestro de escuela, primero como maestro en una escuela secundaria, después en una preparatoria, y ahora, como tú sabes, en la Universidad.

I acted / *amateur*

MD Claro está que el ser maestro también tiene algo que ver con° el teatro...

has something to do with

JJA Qué bueno que lo dices, Manuel, porque así es, así lo siento. Seguí haciendo teatro, ya no teatro escénico°, sino teatro educativo, en la escuela, en mis clases, en mis conferencias°, en mis charlas°, en mis programas de televisión. Todos los maestros tenemos algo, o mejor dicho

stage / *lectures/talks*

[2] Federico García Lorca (1899-1936), one of the greatest poets and dramatists of modern Spain.

mucho, de actores. Somos actores del conocimiento. Dramatizamos el conocimiento. Yo creo, además, que las cualidades esenciales del escritor son algo con que ya contamos al nacer. No se aprende, se nace siendo escritor, porque escribir literatura es una manera de ser: lo primero que se necesita es ser sensible°. Pero no sensible como todos los otros seres humanos, sino ultra-sensible, sensible a todo y a todos, sensible en grado muy exagerado. Que todo nos toque°, que todo nos influya, que podamos sentirlo todo. Porque el hecho° de escribir es un desahogo°, una proyección de nuestra personalidad que es necesaria para no estallar° como una bomba, porque estamos demasiado llenos de todo lo que nos rodea. Escribimos porque hemos sentido mucho y no podemos quedarnos con todo lo que° hemos sentido: hay que darle salida.

sensitive

let everything move us/the fact

relief

to burst

we can't keep everything that

MD Lo explicas muy bien, y tu teoría romántica de la literatura parece muy convincente. Pero detrás de la efusión emocional siempre hay un método, una artesanía. Y cada escritor, cada escritora, tiene su sistema, crea su ambiente donde la acción de escribir le resulta más fácil. Me pregunto dónde y cuándo escribes tú.

JJA A veces no escribo, dicto°, usando una secretaria o una grabadora°. Soy un literato oral... La palabra "literatura" viene de "letra", pero yo pertenezco° a la vieja tradición oral. Ahora llego a casa fatigado de la garganta° de tanto hablar, pero es que hablar en público o en privado es mi negocio y es mi placer°. Amo el lenguaje sobre todas las cosas.

I dictate/a tape recorder

I belong

throat

pleasure

MD Eres el moderno sucesor de los juglares°. Ellos también preferían hablar, recitar, hacer teatro y pantomima. Y antes que ellos los que componían y recitaban los grandes poemas épicos, también hablaban, no escribían.

minstrels

JJA Desde el principio me he sentido miembro honorario y moderno del Mester de Juglaría°: lo que me hace vivir es la palabra, y eso lo sentía ya cuando era niño, y he seguido así hasta el presente. Me paso horas y horas en la televisión, en los estudios de la televisión, improvisando programas, haciendo de maestro de ceremonias, tomando parte en mesas redondas°. Mucha gente que no sabe que soy escritor, que soy literato°, me conoce únicamente a través de la televisión. Hoy hablé de literatura: analicé un soneto, fui feliz entendiéndolo y explicando todo lo que puede caber en estos catorce versos, un pequeño mundo irrepetible e inconfundible°. Pero, claro está, también escribo. Y cuando lo hago necesito la soledad y el silencio. Para mí no hay manera de escribir de otra forma: necesito absoluta soledad, silencio completo. Siempre he tratado de organizar, en todas las casas en que he vivido, una pequeña celda° de monje°, con una mesita, un librero, una máquina de escribir, y, claro está, sin teléfono. Pero he vivido mu-

minstrel trade

round table discussions/a literary person

unique

cell/monk

chos años en la ciudad, y esta inmensa, inhabitable ciudad de México en que vivo ahora me ha hecho mucho daño°. *harm*

Esta ciudad es la negación del recogimiento°. Pero no borra° del todo la necesidad de comunicación, de extraer de uno mismo lo que llevamos dentro. Y son nuestros depósitos vivenciales°: el escritor no olvida, no puede olividar. Dostoyevsky, Shakespeare, eran escritores que no olvidaban ni un gesto, ni una frase. Los pintores tampoco olvidan. Pueden pintar un árbol sin verlo, porque lo recuerdan. Yo no podría. Pero recuerdo el primer poema que aprendí. La memoria origina y crea al escritor. *meditation/erases* *personal experiences*

MD Pues, dejemos aparte°, por el momento, a Shakespeare y Dostoyevsky y hablemos de tí, de Juan José Arreola y del cuento que hemos escogido para nuestro libro. Se llama "El pacto con el diablo" y es un cuento que, me parece, escribiste hace mucho tiempo. Lo recuerdas, ¿verdad? *let's leave aside*

JJA ¿No estábamos hablando de la memoria del escritor?

MD Bueno, es un cuento con un tema que se puede decir es religioso, el viejo tema del alma° de un hombre que se siente tentado° de venderla al diablo. No voy a preguntarte si crees en el diablo; pero, dime, ¿crees realmente en el alma? *soul/tempted*

"Tuvo lugar en mí un descubrimiento... de que había dos lenguajes."

JJA Sí, creo en el alma, pero vivo en una duda, una duda terrible, que espero algún día pueda resolverse en una aceptación del espíritu y del cuerpo que me han sido impuestos. Si no hay salvación futura, el destino del hombre se me aparece desprovisto° de sentido, y nuestra existencia una broma° demasiado macabra. *lacking* *joke*

MD Pero, sin embargo, hay mucho humorismo en este cuento. ¿Cómo explicas tú que siendo trágicamente teológico, como has dicho en otra parte, tú tienes ese soplo° de humor, de sarcasmo, y de ironía? *breath*

JJA Sí, es curioso. Teniendo yo un origen sentimental y trágico, acabé haciendo caricaturas. Pero me siento feliz de haber desembocado° en humorista. Tal vez tengo una incapacidad para tratar en serio los grandes temas. Pero todo ese humorismo está hecho de lágrimas, de pavor° nocturno, y sobre todo de la idea espantosa° de la soledad individual. *turned out (to be)* *terror/frightening*

MD Entonces quieres que nosotros, los lectores, te tomen en serio cuando hablas de lo terrible que sería la pérdida del alma, incluso de un alma común y corriente como las nuestras. Pero, ¿cómo se te ocurrió meter al pobre diablo en el cine y pintarle de manera que se parezca a cualquier espectador?

JJA ¿Por qué no? Si te pones a pensar en el vicio más popular en México — y en casi toda América Latina entre las últimas generaciones — verás que es el cine. Amamos locamente ir al cine. El cine es nuestro escape, nuestro paraíso, nuestra droga. Los gobiernos lo saben y por eso dan subsidios a los cines de manera que incluso los más pobres puedan asistir. Entonces, ¿qué es más natural que encontrar al diablo en el cine, buscando almas para comprar o solamente disfrutando° como todos los demás?

enjoying (himself)

Ejercicios

VOCABULARIO: *Haz nombres de los verbos siguientes.*
Ejemplo: saber —>la sabiduría.

aprender	dudar
sentir	perder
charlar	recogerse
grabar	dañar

MODISMOS: *Traduce:*

1. No sé cómo *se lleva a cabo* este ejercicio.
2. El no sabía *ni siquiera* la diferencia entre lenguaje hablado y lenguaje escrito.
3. Tú te quedaste *un buen rato* hoy en el teatro.
4. Porque nosotros somos sensibles, todo lo que pasa en el mundo *nos toca*; lo sentimos todo.
5. Voy a *dejar aparte* la respuesta a la última pregunta.

EL GENERO DE LOS NOMBRES: *Usa un adjetivo después de cada nombre y también da el artículo (el o la).*

___ alma ___________	___ poema ___________
___ poeta ___________	___ tema ___________
___ arte ___________	___ especie ___________

Preguntas

1. ¿Qué nacionalidad tiene Juan José Arreola y cuál es su profesión?
2. ¿Por qué decimos que él es autodidacto?
3. ¿Cuáles son los dos lenguajes de que habla Arreola?

4. Cuando era muy joven, ¿a qué clase de colegio asistía?
5. ¿Qué empezó a hacer a los cinco años de edad?
6. Según Arreola, ¿se puede aprender a ser escritor? Explica.
7. ¿Cuál es la cualidad que más necesita un escritor?
8. Explica por qué el hecho de escribir es un desahogo.
9. ¿Quiénes eran los juglares?
10. ¿Qué condiciones necesita Arreola para poder escribir?
11. ¿Qué opina Arreola de la ciudad de México?
12. ¿Cómo explica Arreola su humorismo frente a los grandes temas de la vida?
13. Según Arreola, ¿cuál es el vicio más popular en México?

Opiniones

1. ¿Estás de acuerdo con Arreola cuando dice que no se aprende a ser escritor sino que se nace siendo escritor? Explica tu opinión.
2. ¿Te das cuenta de que usas un lenguaje cuando hablas con tus amigos y otro lenguaje cuando escribes un ensayo? ¿Cuál es la diferencia entre estos dos lenguajes?
3. ¿Te has fijado *(paid attention)* en la música, en los sonidos de un idioma? ¿Hay palabras en español que te gustan más que otras? ¿Cuáles son? ¿Cuál es el idioma más musical, más bonito, que conoces?
4. ¿Crees que el teatro es buena preparación para otras carreras? ¿Para cuáles? ¿Por qué es importante saber expresarse bien?

Conversación

1. ¿Te consideras sensible a todo y a todos? ¿Cuáles son las desventajas de ser tan sensible?
2. ¿Qué te proporciona más desahogo: escribir, cantar, hablar, gritar, dormir, llorar, escuchar música triste?
3. ¿Crees que el diablo existe? ¿Cómo sería hoy día? ¿Le venderías tu alma?
4. ¿Quieres hablar de tus vicios? ¿No tienes ninguno?
5. A veces los periódicos nos hablan de sectas hoy día que adoran al diablo. ¿Qué opinas de eso?

"Odio los estudios, los deportes,
odio a mis profesores."

José Donoso: "Cronología" (la juventud y aventuras de José Donoso)

En el último medio siglo el pequeño país de Chile ha producido dos poetas que ganaron el Premio Nobel[1] y un gran novelista de fama mundial. El último es José Donoso, que empezó escribiendo cuentos, y siguió produciendo novelas, poemas y una obra de teatro (sin dejar de° escribir cuentos maravillosos). Aquí no hace falta° hablar de la vida de José Donoso porque la entrevista que sigue presenta a nuestro escritor, pero más bien° no es entrevista sino una cronología escrita por él mismo acerca de los hechos° importantes — y a veces ridículos — que forman su vida y su obra literaria. Después leeremos uno de sus cuentos más populares, "Una señora."

without ceasing/ it's not necessary
rather
facts

Su novela, *Coronación*, de 1957, fue seleccionada por la Fundación Faulkner como la mejor novela chilena de la postguerra, pero su obra maestra es probablemente la larga y fantástica novela, *El obsceno pájaro de la noche*, de 1970. Donoso tiene la capacidad de crear novelas llenas de magia como esta última, y también otras que se distinguen por un realismo casi científico, como *Coronación* y *Este domingo*.

En su personalidad, Donoso parece ser tímido. Casi se puede creer que se dejó crecer la barba° con la intención deliberada de esconderse° tras ella. En Princeton y en Yale, donde ha sido "víctima" de preguntas incesantes hechas por los estudiantes de literatura, su legendario nerviosismo con frecuencia se apodera° de él. Pero en las ocasiones en que no se ve obligado a atender a un público exigente°, se siente mucho más sereno, y entonces vemos en él, sin lugar a dudas°, el hombre que es-

let his beard grow/to hide oneself
takes control
demanding
without any doubt

[1] Gabriela Mistral (1889-1957), who was awarded the prize in 1945 and Pablo Neruda (1904-1973), who won the prize in 1971 and was also influential in Chilean politics.

cribió la siguiente cronología biográfica. (El dice que se encuentra mucho más cómodo con su máquina de escribir que con una persona que lo entrevista.)

1924 Nacido el 5 de octubre en Santiago de Chile, en una casa con jardín, en el barrio de Providencia, que en aquella época no era más que unos pocos chalets en pleno campo°. Mi padre era un joven médico, más aficionado a las carreras de caballos y a los juegos de naipes° que a su profesión, todo lo cual significa que nuestros medios de subsistencia°, a fines de mes, eran más bien escasos. Era mi madre, mujer atractiva y dotada del sentido del humor, la que de una forma u otra conseguía arreglarlo todo.

out in the country / *card games* / *means of support*

1927 Nace mi hermano Gonzalo. Me sentí profundamente celoso° Creí que su aparición en el horizonte familiar tenía la culpa de que a mí no me hicieran caso°. La causa era, sin embargo, bien diferente.

Vivíamos en un estilo que en aquella época era calificado de "bohemio." Los juegos de cartas seguían y seguían, hasta bien avanzada la madrugada°. Los criados se irritaban y se marchaban. Y toda la chiquillada° de la casa — lo cual incluye los niños de parientes que nos visitaban — cayó enferma de tos ferina° (todos a la vez). De todos modos nadie se preocupaba por conseguir un empleo estable.

jealous / *paid no attention to me* / *dawn* / *kids* / tos...*whooping cough*

1929 Nos mudamos° de casa, yendo a parar° a la vieja parte de Santiago, a una casa grande, con tres patios. A mi padre se le había ocurrido que había que tomar algunas precauciones en cuanto al futuro: y así nos llevó a la casa en que vivían tres tías ricas, que casi no se levantaban de la cama, y no tenían más parientes° que nosotros; sin embargo, no estaban del todo solas; cada una vivía acompañada por una especie de corte° de criados. Mi papá, según el proyecto, sería una especie de médico residente, y mi mamá, una ilustre ama de llaves°, o señora de compañía. Quedaba bien entendido que a su debido tiempo nosotros íbamos a heredar todas aquellas fortunas. (Por desgracia este bello programa se frustró.) Mientras tanto, aquellas ricas viudas° proporcionaron a mi padre un estupendo automóvil, con chófer, y la cantidad de dinero suficiente para atender al considerable grupo — casi un enjambre° — de parientes, amigos, y conocidos, todos los cuales necesitaban ayuda y acudían° a charlar con las tías, siempre algo enfermas.

moved/yendo... *winding up* / *relatives* / *court* / *housekeeper* / *widows* / *swarm* / *came*

1931 Nace mi hermano Pablo. Llega Miss Merrington para enseñarnos el idioma inglés, como gobernanta. Me ayudó a conseguir espejuelos°, y aproveché esta oportunidad para sentirme "diferente a

reading glasses

los demás." Sin embargo, pronto Miss Merrington se cansó del duro esfuerzo que representaba el tratar de civilizarnos, y se marchó a Antofagasta[2] donde enseñaría inglés a cierta muchacha, la Srita. Serrano (da la casualidad° de que treinta años más tarde llegué a conocerla...y me casé con ella). La joven y hermosa hermana de mi padre me llevó a ver una representación de *Lohengrin*.[3] Tocaba Mendelssohn y Beethoven, al piano; secaba sus largos cabellos castaños° al sol, en nuestro patio...¡Me enamoré de ella!

it turns out
chestnut color

Hay otro aspecto de mi educación que, debo mencionarlo, fue desarrollado° y cultivado por una de las jóvenes muchachas de servicio°, quien me permitió explorar su anatomía, mientras al mismo tiempo hojeaba° las páginas de una Biblia expurgada°, ilustrada por Gustavo Doré.[4] Mi mamá nos sorprendió en plena actividad cultural y despidió° a la sirvienta.

developed
house maids
leafed through/ expurgated
fired

1932 Empecé a asistir como estudiante a la escuela inglesa, *The Grange,* en la que seguí estudiando durante casi diez años. No me enviaron a esta escuela tras° cuidadoso examen, sino simplemente porque mi madre tenía una amiga cuyo hijo estudiaba en ella, y ofrecía un aspecto simpático° en su uniforme gris y su gorra°. Se me indicó claramente que mi deber como estudiante era aparecer por lo menos tan atractivo como aquel muchacho. Y desde el principio odié° la escuela, en especial los deportes obligatorios, con aquellas normas poco razonables, y francamente extranjeras, del "fair play", y de sonreír a través de todas las vicisitudes negativas y los accidentes desagradables; y de aprender a perder. Mi rechazo°, en aquel momento, de esta primera experiencia colectiva, bien puede haber determinado mi incapacidad permanente para pertenecer a grupos de todo tipo, bien sean° políticos, sociales, o recreativos.

after
ofrecía...*looked nice/cap*
hated
rejection
whether

Aunque en la escuela me sentía sumamente desgraciado°, el hogar° seguía apoyándome°. Allí volvía al caos, la sobrepoblación, el sentimiento de que había posibilidades de tensión romántica o de viajes (por ejemplo: la hermana de mi mamá regresó, después de haber sido abandonada por su amante° en un lugar tan improbable como Java), y regresaba también a un ambiente de pecado° (papá no iba nunca a misa° los domingos, porque, como cierta vez explicó al cura°, estaba demasiado ocupado visitando a sus enfermos; pero

unhappy
home/supporting me
lover
sin
mass
priest

---

[2] A city in northern Chile.

[3] Richard Wagner's famous opera, composed in 1847 and premiered in 1850.

[4] Gustave Doré (1833-1883), French artist and engraver; illustrated many classics such as Dante, Milton, Cervantes, etc., in a highly imaginative and romantic style.

nosotros sabíamos muy bien que había ido a las carreras° de caballos).

races

1935 Los deportes y mi insuficiencia en los exámenes me hicieron sentir tan triste y deprimido° que fingí° un fuerte dolor de estómago que me permitió quedarme en casa unos dias. Horror: el médico señaló que tenía que ser operado de apendicitis. El médico era mi padre: en aquel momento perdí todo respeto por él como médico. Había sido tan fácil engañarle°... La operación me asustaba mucho, pero era solamente la primera de mis enfermedades imaginarias que me iba a llevar a la mesa de operaciones.

depressed/pretended to feel
deceive him

1938 Como era de esperar, mis tías abuelas° iban muriendo, una tras otra, durante esta década. Pero, como no era de esperar, no heredamos absolutamente nada. Regresamos a la vieja casa con su jardín.

great-aunts

1939 La mamá de mi madre regresó de Europa antes de que empezara la guerra. Vino a vivir con nosotros. Un tío soltero°, que dormía todo el día y pasaba toda la noche fuera de la casa, también vino a vivir con nosotros. La casa, sobrepoblada, empezó a vibrar con las previsibles intrigas. Y mi abuela, quien durante años se había ido acercando a un estado de locura° — sin que nadie se diera cuenta° — nos hizo la vida imposible.

bachelor uncle
madness/without anyone realizing it

1940 La situación empeora — para mí — en la escuela. Y en casa también. Odio los estudios, los deportes, odio a mis profesores. Empiezo a evitarla y pasar el día fuera de la escuela. Largos días en los jardines, y también en los barrios de mala fama de la ciudad. Busco otros mundos, otros horizontes. Voy a la biblioteca pública, paso horas y horas leyendo libros prohibidos. En la escuela finjo constantemente dolores de estómago, lo que me permite descansar en la enfermería, en lugar de asistir a mis odiadas clases. Me diagnostican una gastritis con posible úlcera. Me río, creo que una vez más les he tomado el pelo°.

"Voy a la biblioteca pública, paso horas y horas leyendo libros prohibidos."

I've fooled them

Pero poco a poco la situación en la escuela parece mejorar. Algunos de mis nuevos amigos admiran mis contactos con el mundo del hampa° (unas pocas prostitutas, algunos vagabundos). Y admiran también mis conocimientos de libros prohibidos. Escribo poesía. Al mismo tiempo empiezo a salir con muchachas "decentes," según las normas aprobadas por la sociedad. Me empeño° durante algún tiempo, sin éxito° definitivo, por pertenecer a un ambiente de jóvenes "normales" y "decentes."

underworld
I try
success

1942 Mis padres se han enterado° finalmente de que he estado faltan-

found out

do° mucho a mis clases. Me sacan de *The Grange* y me llevan a una escuela de internado° en la que la disciplina es sumamente estricta. Antes de que termine el año soy expulsado de esta escuela, y me colocan° en otra en la cual mi conducta llega a ser todavía más rebelde.

Y, finalmente, mis padres se rinden°: no sabiendo ya qué hacer, me dan rienda suelta° y me dicen que haga lo que quiera.

missing / boarding school / place / give up / let me do as I please

1943 Abandono la escuela; consigo trabajo en una agencia de viajes. Al empezar a ganar dinero me siento, por fin, libre. Empiezo a leer a Proust[5] y hago un intento por convertirme en un "dandy", un "niño bien." Pero tras leer una biografía de Gauguin[6] empiezo a seguir clases de dibujo con modelos al natural°: mi plan es huir° a Tahití y allí pintar. Todo lo que leo modifica mi visión del mundo. Pero lo único que consigo es pasar de un empleo a otro. No consigo que un empleo me dure° más de seis meses.

live models/flee / last

1945 Cuando me despidieron° de un excelente empleo — que mi padre me había conseguido — conté el dinero que me quedaba°. No era mucho. Decidí comprar un boleto para el lugar más distante posible, hasta donde alcanzara mi dinero°. Acababa de terminar la guerra; Europa y Estados Unidos debían ser descartados°. Por eso compré un boleto de tercera en un vapor° que iba a Magallanes.[7] Salí de casa con una maleta° y una caja llena de libros. (En aquella época Thomas Wolfe era uno de mis favoritos.) Y así embarqué para Punta Arenas,[8] a través del estrecho de Magallanes. En la pampa argentina encontré empleo como pastor°, y escribí a mi familia para explicarles dónde me encontraba; esperaba — y temía a la vez — que me iban a repudiar°. Sin embargo, a vuelta de correo°, y junto con un paquete de comestibles y dulces, recibí carta de mi padre en que me explicaba cuán orgulloso° estaba de mí, de que su hijo mayor hubiera tenido el valor necesario para rechazar° su tipo de vida estático y pasivo. Su "comprensión" no hizo sino° frustrar mi agresión, pero por otra parte me permitió juzgar que mi conducta era francamente heróica y romántica.

fired / I had left / hasta... as far as my money would take me/ruled out/steamer/ suitcase / shepherd / disown/by return mail / how proud / reject / managed only

1946 Trabajé en la pampa durante casi un año, y después viajé "de aventón°" a lo largo de° Patagonia, hasta Buenos Aires. Era la primera vez que me sentía del todo libre de las garras° de mi familia; viví como me daba la gana°. En cuanto se terminó el dinero que

hitchhiking/up through/claws / me... as I liked

---

[5] Marcel Proust (1871-1922), great French novelist.

[6] Paul Gauguin (1848-1903), French impressionist; spent the end of his life in Tahiti.

[7] The Straits of Magellan.

[8] Chilean city at the very southern tip of South America.

había ahorrado° conseguí empleo en el puerto° y pasé a vivir a un hotel de mala muerte°. Mis amigos eran marineros° y cargadores de los muelles°. Me sentí feliz durante algún tiempo. Pero caí enfermo del sarampión°. Inmediatamente mis padres se precipitaron° hasta Buenos Aires, para cuidar de mí mientras recobraba la salud...y para llevarme a casa.

saved/port hotel... *flophouse/ sailors/dock-workers/measles/ rushed*

1949 Recibo una beca° para estudiar en la universidad de Princeton: allí resulto estudiante sumamente mediocre. Mi consejero° me pregunta por qué me saco tan malas notas°. Contesto que ello ocurre porque me he enamorado. Arguye que probablemente no soy yo el único estudiante de la Universidad que se ha enamorado. Cuando protesto: "Pero, mire usted, es que soy latino..." me despide° bruscamente, creo que para reir a sus anchas°.

scholarship *advisor* *grades* *he dismisses* *at ease*

Princeton deja en mí una honda huella°. Aprendo allí que la literatura no carece de° encantos, y que su estudio puede ser un placer. Conozco algo de la mejor pintura mundial, que siempre me fascinó. Y con nuevos y simpáticos amigos exploro los museos de Nueva York durante los fines de semana. Durante las vacaciones viajo a pie° por México; publico mis primeros cuentos; y me doy cuenta de que, para bien o para mal, soy escritor.

imprint *does not lack* *on foot*

1952 Regreso a Chile. Allí me siento como encarcelado°, ya que me doy cuenta de que no puedo regresar a Nueva York, ya que tengo dificultades para conseguir un pasaporte nuevo. Los dolores de estómago — que habían desaparecido durante mis años de Punta Arenas y de Princeton — aparecen de nuevo, más agudos°, destruyendo todos mis proyectos de escritor. Empieza mi primera aventura amorosa prolongada, con una alarmante, neurótica, muchacha de pelo verde e imaginación desbocada°. Me convence de que debo hacerme psicoanalizar.

jailed *sharp* *unbridled*

1954 El tratamiento psicoanalítico parece haber mejorado mi salud. Consigo un empleo en la enseñanza°; me desentiendo° de mi maravillosa y neurótica amiga y empiezo otra aventura con una dama menos divertida° pero más normal. Cierto día consigo sobreponerme° a mis dolores de estómago el tiempo suficiente para terminar un cuento.

teaching/I abandon *amusing* *overcome*

1955 Publico mi primer libro de cuentos, *Veraneo*. Yo mismo me pago la edición, reuniendo° un poco de plata° con la ayuda de mis amigos, que, más tarde, tratan de vender el libro por la calle, en tranvías° y por las encrucijadas°. Incluso a mi padre le gusta mi libro, y ayuda a vender ejemplares obligando a todos sus amigos a comprarlo. La crítica es favorable; recibo un premio oficial. Ha terminado la guerra con mis padres.

gathering/money *streetcars/intersections*

1957 Alarma general de parientes y amigos: abandono todos mis empleos. Y me voy a Isla Negra° a vivir con una familia de pescadores y terminar mi novela, *Coronación*. Consigo dar fin a la novela, pero mientras viajo en autobús para llevarle uno de los primeros ejemplares° que acaban de salir de la imprenta° a un famoso crítico de Santiago, me desmayo°; tienen que llevarme a casa. El dolor que había fingido sentir cuando niño ha madurado hasta convertirse en una auténtica úlcera. *Coronación* recibe grandes alabanzas° críticas. Pero, por segunda vez, tengo que vender ejemplares de mi libro en las calles y en los tranvías.

village on Chile's coast

copies/press

I faint

praise

1958 Pido prestado° algo de dinero e inicio una gira° por América del Sur. Mi intención es trabajar unas pocas semanas en cada ciudad, y en cuanto el panorama empiece a ponerse aburrido seguir el viaje hasta la próxima ciudad. Mi primera etapa: Buenos Aires. Y es también la última, pues allí conozco a la estudiante de Miss Merrington — la muchacha de Antofagasta — que es ahora una elegante y refinada pintora; me convence para que me quede allí°. Y nos comprometemos° a casarnos. Me quedo, pues, en Buenos Aires, viviendo de milagro°, y tratando de no casarme.

I borrow/tour

stay there

become engaged

viviendo...*bumming*

1960 Pensé que podría eludir la trampa° que se me había tendido al dedicarle a la muchacha mi siguiente libro de cuentos, *El Charleston*. Cuando me di cuenta de que aquella maniobra° era insuficiente, huí° a Chile, y pasé otra vez al diván de un psiquiatra (por su parte ella estaba haciendo lo mismo en Buenos Aires; había comprendido que casarse conmigo no iba a ser una aventura divertida). Conseguí un trabajo con la cadena° de periódicos Ercilla; como reportero, me ocupé de todo, desde los temblores° hasta los nuevos libros, desde las exposiciones de modas° a las revoluciones. Me enviaron a Europa como periodista. Y al desembarcar comprendí que no podía — tal como reza° la frase — "vivir sin ella." Le envié un cable, dándole cita° en Santos.[9] Aceptó. Nos casamos el año siguiente.

trap

maneuver/I fled

chain

earthquakes

fashion shows

tal...*as the saying goes/asking her to meet me*

1962 Se celebra un congreso de escritores en la Universidad de Concepción. Se supone° que todos los escritores viajaremos hasta allí en avión. Pero Carlos Fuentes[10] y yo, tras una ojeada° al aparato de tipo anticuado que nos aguardaba°, confesamos que incluso los aviones más modernos nos infundían pánico; huimos los dos hacia la estación de ferrocarril. Durante el viaje por tren Carlos y yo nos hicimos buenos amigos. En el congreso vimos a Pablo Neruda, que ostentaba una vistosa y brillante camisa negra — procedente de la

It is assumed

after taking a look/waited for us

---

[9] A port city in Brazil not far from Sâo Paulo.

[10] Famous Mexican writer with an international reputation.

República Popular de China — y leyó varios poemas acerca de la belleza de su esposa, quien llevaba un vestido que la hacía parecer una campesina° húngara. Poco recuerdo de lo que se dijo durante aquel congreso, pero sí recuerdo los grandes banquetes que siempre parecían celebrarse cuando Neruda estaba presente, y el flirteo y los bailes que Fuentes parece suscitar° continuamente. También recuerdo que por primera vez me di cuenta de que la novela latinoamericana había iniciado una fase sumamente excitante y creativa, y que todo aquello se movía y prosperaba totalmente al margen° de los libros de texto y los esfuerzos académicos.

peasant

create

beyond

1963 En Estados Unidos, la casa Knopf va a publicar mi novela, *Coronación*. Yo empiezo a escribir un relato titulado "El último Azcoitia," que más tarde se convertirá en una larga novela, *El obsceno pájaro de la noche*.

"Empieza mi primera aventura amorosa prolongada, con una alarmante neurótica muchacha de pelo verde e imaginación desbocada. Me convence de que debo hacerme psicoanalizar."

1965-67 Doy clases de literatura creativa en la Universidad de Iowa City. Muchos de mis estudiantes son brillantísimos; las clases resultan de veras creativas. Pero debido a mi trabajo y a las fiestas tras las clases no puedo seguir trabajando en mi novela; cada vez que trato de concentrarme en lo que es, hasta la fecha, mi libro más ambicioso, se presentan nuevamente los dolores de mi úlcera. Parece evidente que mi labor de artista creador no es compatible con mi trabajo de profesor: decido una vez más abandonar mi empleo. Viajamos a España para que allí pueda terminar mi novela en paz y escribir todo el tiempo.

1967 Nace mi hija, en Madrid. Pasamos a la isla de Mallorca; allí me siento casi inválido, casi paralizado; tengo todo el tiempo que necesito para escribir, pero mis dolores me impiden° trabajar. Todo lo cual llega al mismo tiempo que un agudo° ataque de hipocondria. Estoy convencido de que sufro — por lo menos — de leucemia. En Mallorca visito a los mejores especialistas, hasta que mi esposa sugiere que quizá el especialista adecuado, en esta ocasión, es un psiquiatra. Casi me divorcio de ella porque creo que no me entiende. Cuatro meses de tratamiento bajo un psiquiatra me mantienen casi adormecido. Me siento próximo a las plantas, hermano de los vegetales.

prevent me from

sharp

1969 Nos trasladamos° a Barcelona. Gracias a un esfuerzo titánico, que se prolonga por ocho meses — y mientras sigo sufriendo con mi paranoia y mis increíbles pesadillas° — empiezo a modificar y com-

move

nightmares

pletar *El obsceno pájaro*. Al terminar el año acabo mi novela.

1970 He quedado exhausto por la labor de terminar mi última novela. Empezamos a buscar una casa lejos de Barcelona, en que nuestra vida pueda desarrollarse con más traquilidad. Mi traductor al francés me escribe, desde la pequeña población de Calaceite. Se llama Didier Coste, y su carta me intriga. Vamos a verle mi esposa y yo, para contestar algunas de sus preguntas; lo hallamos° instalado en un pueblecito encantador. Entusiasmados, adquirimos una casa — toda construida de piedra — del siglo diecisiete, por la modesta suma de 700 dólares. *find*

1971 Nos trasladamos a Calaceite. Me toca el honor de coronar° a la Reina de la fiesta local, debo leer un pequeño discurso°, y bailar con ella el baile regional, la "jota," en la plaza central del pueblo. Nuestra vida se va haciendo más plácida y normal. *crown* *speech*

1971-74 Durante cuatro años vivimos en el pequeño pueblo de Calaceite, una vida bastante primitiva y aislada, de trabajo y estudio. Mi hija va a la escuela del pueblo. Yo escribo *Historia personal del Boom*[11] y *Tres novelitas burguesas*°, asistiendo, ocasionalmente, a lanzamientos° de libros y a la ópera en Barcelona, que queda a 200 kilómetros de distancia. *bourgeois* *launchings (here: publisher's parties for new books)*

1974-77 Nos trasladamos a vivir en el pueblo costero de Sitges, en la provincia de Barcelona, rodeados de amigos y en un ambiente° tal vez más afín° a nosotros que el de Calaceite: pero conservamos nuestra casa allí, y hacemos frecuentes visitas al pueblo, con el que nos sentimos muy ligados°. En Sitges hay muchos amigos chilenos y argentinos de toda la vida, y encontramos el ambiente muy acogedor°. Escribo *Casa de campo*, y llevo una vida social que, después de muchos años de aislamiento, me satisface por su cercanía a Barcelona. *environment* *closer* *attached* *friendly*

1977-80 Nos trasladamos a vivir en Madrid, desde donde se lanza la primera edición de *Casa de campo*. Luego escribo *La misteriosa desaparición de la Marquesita de Loria*, y *El jardín de al lado*. Me entusiasma Madrid y su ambiente; tenemos una casa muy agradable y muchos amigos. Es un período muy productivo para mí.

1980 Después de la muerte de mi padre nos trasladamos a vivir en Chile para tomar contacto de nuevo con las raíces°, y recobrar un poco el contacto con la historia de nuestra patria, que habíamos perdido. Publico *Cuatro para Delfina*, y el Teatro Popular Ictus estre- *roots*

---

11 "Boom" is the name Donoso is credited with giving to the prominent generation of Latin American writers, including not only himself but Carlos Fuentes, Gabriel García Márquez, Mario Vargas Llosa, etc., because of its resounding impact on world literature.

na° mi obra de teatro, *Sueños de mala muerte.* También publico un libro de poemas, *Poemas de un novelista.* En la actualidad estoy terminando un novela llamada *La desesperanza*° en la que hablo de la situación política actual en Chile.

premiers

desperation

Ejercicios

DEFINICIONES: *Llena los espacios vacíos con la forma correcta de las frases o palabras que aparecen en este artículo. Haz los cambios necesarios. Menú de palabras:*

de aventón	pecado
enjambre	lentes
plata	citar
pastor	hotel de mala muerte

1. Muchos insectos juntos se llaman ________.
2. Algunas personas ven mejor si emplean ________.
3. ¿Cuáles son los siete ________ principales mencionados en la Biblia?
4. Viajar con personas desconocidas que paran sus coches para llevarle a uno a cualquier lugar es viajar ________.
5. Los lugares baratos donde suelen parar los marineros y vagabundos son conocidos como ________.
6. Otra manera de llamar el dinero en lenguaje popular es ________.
7. Cuando queremos ver a un amigo (o amiga) le ________ a cierta hora y en algún lugar.
8. Los hombres que cuidan las cabras y los corderos son ________.

SUSTITUCIONES: *Sustituye la parte en letra cursiva* (italics) *por la forma correcta de una de las palabras o frases siguientes:*

desgraciadamente	dar la casualidad
enterarse	tomar el pelo (a)
hacer caso	

1. Otra vez el niño les *había engañado.*
2. *Desafortunadamente*, los medios de subsistencia eran escasos.

3. *Resultó* que él se enamoró de ella treinta años más tarde.
4. El se enfadó porque nadie le *escuchaba.*
5. Su padre *no supo* que él faltaba mucho a la escuela.
6. El *se burlaba mucho* de sus maestros y de su padre.

Preguntas

1. ¿Qué nacionalidad tiene José Donoso?
2. ¿Qué profesión tiene su padre y cuál es su gran debilidad?
3. ¿Qué influencia tenían las debilidades del padre sobre el bienestar *(well-being)* de la familia?
4. ¿Cómo le afectó a Donoso el nacimiento de su hermano Gonzalo?
5. ¿Con qué parientes vivió la familia una temporada y con qué esperanzas? (¿Fueron realizadas?)
6. ¿Cuáles eran las ventajas de la convivencia con estos parientes?
7. ¿Por qué razones se acuerda él de la gobernanta, Miss Merrington?
8. ¿Qué escándalo ocurre en conexión con un sirvienta de la casa?
9. ¿Por qué le mandó su mamá a la escuela inglesa?
10. ¿Cuál era su actitud frente a esta escuela?
11. ¿Cuál era su estrategia para evitar las clases de deportes?
12. ¿Cómo reaccionó su padre a esta estrategia?
13. ¿Cómo influyó en la vida de la familia la abuela materna?
14. ¿Por qué le admiraban algunos de sus colegas en la escuela?
15. ¿Cuál era el castigo que le proporcionaron sus padres por haber faltado tanto a sus clases?
16. Por fin, frente a su conducta rebelde, ¿qué tenían que hacer sus padres?
17. Menciona algunos empleos que ha tenido Donoso.
18. ¿Recibió una beca para qué universidad de los Estados Unidos?
19. ¿Cómo se disculpó ante su consejero por ser mal estudiante?
20. ¿Cómo se aprovechó de su estancia en los Estados Unidos?
21. ¿Por qué se hizo psicoanalizar? ¿Con qué resultados?
22. Al fin, ¿cómo se terminó la guerra con sus padres?
23. ¿En qué manera ha tenido que vender varios libros?

24. ¿Por qué no acabó su gira por América del Sur?
25. ¿Por qué no creyó conveniente ser profesor y escritor al mismo tiempo?
26. ¿Qué dificultades experimentó antes de poder terminar su gran novela, *El obsceno pájaro de la noche*?
27. ¿Por qué decidieron, él y su esposa, vivir en un pequeño pueblo de España?

Opiniones

1. Menciona algunos temores de José Donoso. ¿Compartes algunos de ellos? Explica.
2. ¿Has empleado alguna vez sus estrategias para evitar clases desagradables? Relata tus experiencias.
3. ¿Qué opinas del ambiente familiar de Donoso? (por ejemplo: ¿te atrae? ¿te repugna? ¿te parece exótico?)
4. ¿Cuál, dirías, es su actitud frente al matrimonio?
5. ¿Qué impresión tienes de la personalidad del escritor?
6. ¿Qué piensas de la actitud de la madre de Donoso al despedir a la sirvienta que él trataba de seducir?

Conversación

Habla con un(a) compañero(a) de clase.

1. ¿Cuándo y dónde naciste?
2. Compara tu juventud con la de Donoso.
3. ¿Tenías celos de tus hermanos?
4. ¿Tenías sueños o fantasías como los de Donoso de ir a Tahití como el pintor, Paul Gauguin?
5. ¿Te gustaba la primera escuela a la que asistías? ¿Qué recuerdas de ella?
6. ¿Te sientes diferente a los demás o te importa mucho ser como los demás?
7. ¿Cuáles son las ventajas y las desventajas de vivir en una casa con muchos parientes de todas edades?
8. ¿Te gustaría una vida estática y confortable o una vida llena de aventuras?

9. ¿Qué tipo de amigos prefieres, los que son "normales" y "decentes" o los que son algo neuróticos? ¿Cómo te describirías a ti mismo(a)?
10. ¿Quién te entiende mejor? ¿tu mamá, tu papá, un hermano(a), un amigo(a) un(a) novio(a), nadie?
11. ¿Hay un libro o una película que haya cambiado tu vida?

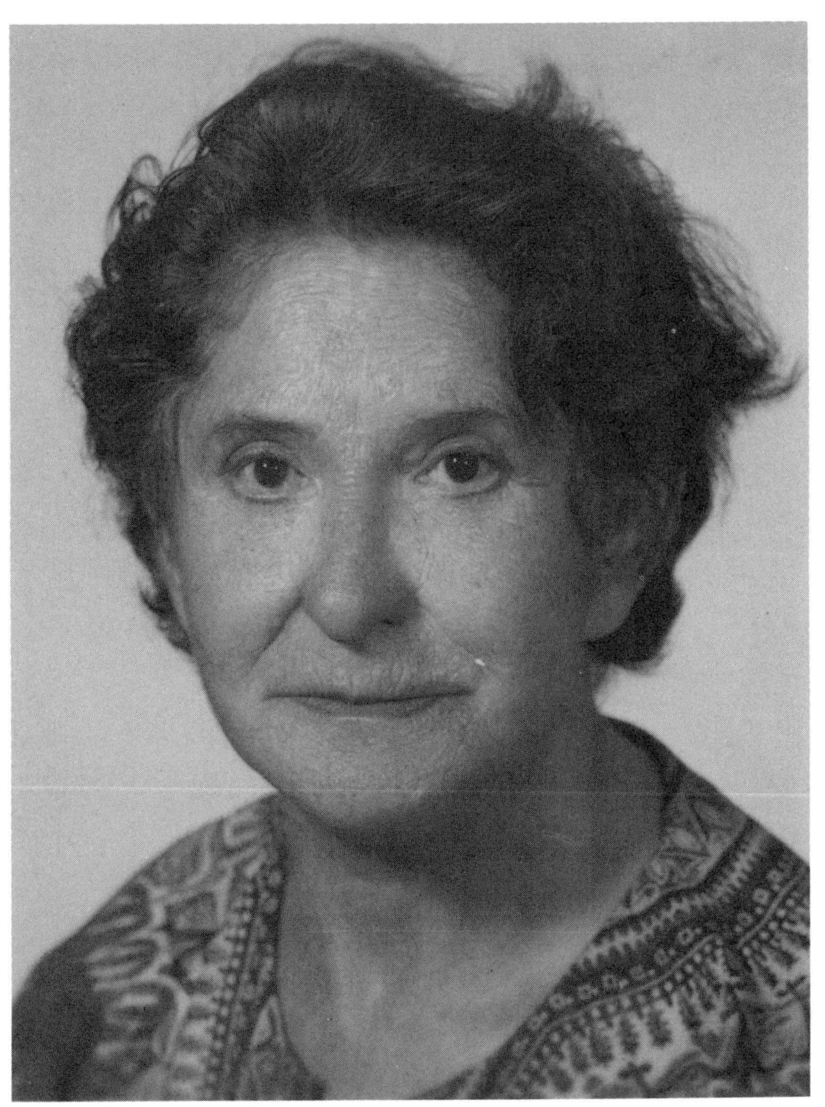

"No siento nada...y esto también puede doler."

Alicia Echeverría: Memorias de una guerrillera

Alicia Echeverría no es una mujer típica de su generación en América Latina. Es una mujer muy culta y educada que ha sido en distintas épocas de su vida mujer de negocios y también guerrillera. Alicia no se considera escritora de profesión; su autobiografía es la única obra larga que ha publicado (aunque según lo que cuenta está preparando un segundo volúmen de sus memorias debido al interés popular que el primero ha suscitado)° (*aroused*).

Sus memorias tratan de su niñez° como hija mimada° (*childhood/spoiled*) de un médico en un pueblo minero° (*mining town*), de sus experiencias de la Revolución Mexicana que destruyó su vida idílica, de su vida con su madre y su hermano en Nueva York donde pasaron muchos apuros° (*difficulties*) debido a la falta de dinero, de su vida y educación en México donde obtuvo sus títulos° (*degrees*) en sociología y derecho. También habla de sus ideas marxistas y de su casamiento con Francisco Amado, un joven guatemalteco° (*Guatemalan*) que había conocido en la Universidad Autónoma de México y que después vino a ayudarla en sus negocios.

La parte del libro que hemos escogido para reproducir aquí trata de algunas experiencias de Alicia cuando ya se había reunido con Paco, su esposo, en las selvas° (*jungles*) de Guatemala y ya era una persona de mucha influencia en el movimiento revolucionario de los años sesenta.

En estas páginas vislumbramos° (*we glimpse*) una revolución muy humana que iba a fracasar° (*to fail*), y la vemos a través de los ojos y el corazón de una participante. Ya que lo más importante aquí para conocer a Alicia es el libro (la entrevista lo toma como punto de partida° (*point of departure*)), sugerimos que el lector lea primero el capítulo del libro que se encuentra en la tercera parte de este texto. El libro de Alicia fue uno de los tres títulos finalistas para el Premio Nacional de Literatura de México en 1987.

GLORIA DURAN Dime, Alicia, ¿cuál fue el impulso que te llevó a escribir tus memorias?

ALICIA ECHEVERRIA Desde muy joven he tenido el deseo de comunicarme con los demás°, y de expresarles mis sentimientos, mis experiencias, mis dudas...Esto se puede hacer en una conversación íntima, pero también por escrito, en un diario (en que una habla consigo misma) o en unas memorias, en que habla con los demás a través de la letra impresa°. Siempre he sentido que mi vida interior y mis aventuras, con sus altibajos°, podían despertar en mis semejantes° un interés que me ayudara a vencer la soledad, que siempre ha planeado° sobre mí como un amenaza°, como una sombra mala.

others

printed word

ups and downs/ fellow human beings/hovered over (here)/ threat/spoiled/ bourgeois

GD En tu libro desempeñas varios papeles. Eres un niña rica y consentida°, una estudiante pobre en Nueva York, eres burguesa° en México y guerrillera en Guatemala. ¿Cuál de estos papeles te representa mejor y te hace sentir más cómoda?

AE Es cierto, mi vida ha cambiado varias veces. Pero todas estas facetas° forman parte de mi vida. Yo soy todas estas personas. No podría elegir entre ellas. Por supuesto°, a mi edad me siento más cómoda volviendo a la vida burguesa. Sí, he sido guerrillera, pero nunca en México: lo fui con mi marido Paco y sus amigos, tratando de derrocar° la dictadura en Guatemala.

aspects

of course

overthrow

GD Antes de escribir tus memorias, ¿escribiste alguna otra cosa? ¿Poemas, cuentos...?

AE Sí, algunos poemas, más bien privados, casi en secreto...y también artículos y conferencias°. Un estudio sobre el barroco en México. Pero no textos autobiográficos. Hay que llegar al final de la vida para escribirlos. Antes de eso una está demasiado ocupada viviendo. Simplemente viviendo.

lectures

GD ¿Es cierto que en tu casa había rehenes°, y que tú les preparabas la comida?

hostages

AE Mira, Gloria, en las guerrillas urbanas hay que hacer de todo. Lo que yo podía hacer, en aquellos momentos, era tratar de hacerles entender a los guerrilleros las teorías del socialismo...y cocinar. Los guerrilleros no eran gente politizada, sino gente sencilla que buscaba crear una sociedad mejor. Eran valientes, sinceros, idealistas. Yo era para ellos como una maestra°. Y también cocinaba, y como no conocía la cocina guatemalteca les preparaba platos de tipo internacional: *coq au vin, lasagna, ratatouille*, etc. Los muchachos les hablaban de las razones de aquella lucha°, y algunos rehenes llegaron a comprender la justicia de nuestro movimiento y a sim-

> *"Las ideologías eran un trampolín para subir al éxito."*

teacher

struggle

patizar con nosotros.

GD En las páginas de tu libro que reproducimos dices que para ti Paco no ha muerto, que seguía viviendo en ti con un rencor° que no podías superar°. ¿Cómo lo ves ahora?

bitterness / *overcome*

AE Si alguna vez llegué a sentir rencor por Paco...fue porque sentí que me había arrastrado° a una ruta sin retorno, y sin verdadero idealismo. Pero el tiempo pasa y va borrando° el dolor y el rencor. La verdad es que ahora ya no siento ni amor ni odio° por él. No siento nada...y esto también puede doler.

dragged / *erasing* / *hatred*

GD No das detalles acerca de su muerte. ¿Sabes algo, o quizá no quieres ahora hablar de esto?

AE Me enteré de la muerte de Paco y de nuestros compañeros a través de una publicación. Todos fueron torturados y fusilados°. No tengo más detalles que algunos que no quiero recordar. De este grupo no quedó ningún sobreviviente°.

shot / *survivor*

GD Has descrito a Paco como un hombre deseoso de obtener el éxito° en cualquier campo, y que en el fondo° el capitalismo o el socialismo no le importaban mucho, lo esencial era convertirse en alguien rico y poderoso. ¿Era típica esta actitud? ¿Crees que muchas veces la ideología oculta° un deseo de poder?

success / *deep down* / *hides*

AE Paco deseaba el éxito y al mismo tiempo lo temía. Las ideologías eran un trampolín° para subir al éxito. Y el temor al fracaso, otro trampolín que lo llevaba a actitudes de miedo y huida°. No era política, sino personalidad, lo que movía el juego.

springboard / *flight*

GD Hablas varias veces de los grupos trotskistas.[1] ¿Quiénes eran, qué querían? ¿Eran comunistas o no?

AE En momentos de crisis surgen movimientos con mayor o menor importancia según la calidad° del grupo y sus dirigentes. En Guatemala había un grupo trotskista que trataba de dominar la situación, y otro grupo comunista que quería también estar a la cabeza del movimiento. Cada grupo quería llegar al poder y no vacilaba en sacrificar a sus compañeros de lucha. Es probable que el grupo de gente sincera en que militábamos° haya sido delatado° por el grupo comunista.

quality / *in which we fought/betrayed*

GD Quisiera ahora saber algo más de tu vida presente. ¿Qué haces, en qué ocupas tu tiempo? ¿Sigues escribiendo? ¿Cómo recibió tu libro el público y la crítica?

AE Sigo pensando y recordando, que quizá es mejor que escribir, y en todo caso me ayuda a sentirme parte de la sociedad, incluso de la his-

---

[1] People who claimed to be followers of the Russian Revolutionary leader Leon Trotsky (1879-1940) who opposed Joseph Stalin in his struggle for leadership of the Communist Party and who was murdered in Mexico at the latter's orders.

toria. Mi libro ha tenido éxito, y a los pocos meses se ha hecho una nueva impresión°. Pero creo que tengo más cosas que decir, más historias que contar. Algunos me dicen que el libro termina en forma demasiado abrupta. Pues bien: no voy a tener más remedio que volver a empezar a escribir, continuarlo, y así combatir mi soledad, relatar todo lo que me ha sucedido° y al hacerlo relacionarme con mis lectores, que son ya mis amigos.

printing

happened

Ejercicios

VOCABULARIO: *Escoge la palabra en la columna A con sentido similar a la de columna B.*

A	B
niñez	consentido
mimado	destruir
fracasar	rencor
derrocar	juventud
odio	no tener éxito
apuros	bosques
selvas	dificultades

JUEGOS DE PALABRAS (RETRUECANOS):

- Si hay una dictad*ura* en la Unión Soviética, ¿dónde hay una dicta*blanda*?
- ¿Cuál es la expresión en inglés que equivale a "De Guate*mala* a Guate*peor*"?

Preguntas

Subraya (underline) *todas las frases o palabras erróneas.*

1. Alicia Echeverría es una muchacha guatemalteca que ha sido guerrillera.
2. Alicia es una mujer autodidacta (sin educación formal) que se interesó por causas revolucionarias.
3. Ella se casó con un joven estudiante mexicano, muy idealista.
4. Los guerrilleros que ella conocía eran valientes, pobres y muy bien educados.
5. Ella sentía rencor por Paco porque él la forzó a dejar su vida de burguesa privilegiada.

6. Entre los guerrilleros había un grupo comunista y otro grupo capitalista que se peleaban para estar a la cabeza del movimiento.

Conversación

1. Para vencer la soledad Alicia escribe. ¿Qué haces tú?
2. ¿Te interesan las memorias de personas que han vivido vidas llenas de aventuras? ¿Prefieres conocer a estas personas a través de las películas o la televisión? ¿Puedes pensar en las aventuras de una persona verdadera que te hayan impresionado?
3. Alicia habla de sí misma como una niña consentida. ¿Tú te crees consentido(a)? ¿Qué opinan tus hermanos(as)? ¿tus amigos(as)?
4. Alicia habla de sus talentos como cocinera. ¿Te gusta cocinar? ¿Qué platos puedes preparar bien? Danos tu receta.
5. ¿Cuál es tu actitud frente al éxito? ¿Te atrae o te da miedo? ¿Sientes a la vez atracción y temor? ¿Puedes explicar tu actitud?

Composición

IDEOLOGIA O PERSONALIDAD:

¿Es más importante la ideología o la personalidad en las vidas de K. Marx, V. I. Lenin, J. Stalin, F. Castro, y E. Cardenal? (Cardenal está incluido en este libro de texto.) Escoje a uno. Busca libros o artículos biográficos para apoyar tus ideas.

*"Toda obra de arte es como una bomba,
una bomba de tiempo. Estalla, pero no para matar,
sino para limpiar la atmósfera."*

José Luis Cuevas: Los dos mundos de la super-estrella de la pintura

Cómo describir a ese gran artista mexicano que es José Luis Cuevas? Su personalidad es tan fuerte, sus opiniones son tan discutibles, que a veces creemos estar en presencia de un gran escritor, o un personaje° de la televisión. (Ha dado una entrevista por televisión sentado en una antigua tina de baño°.) Es uno de los mexicanos más famosos de nuestro tiempo; su rostro° y sus opiniones aparecen constantemente en los periódicos. Parecería que adora la publicidad — sin embargo le gusta quejarse° de que la gente lo reconoce. Cuando entré en su estudio le estaba contando a un periodista norteamericano que un borracho° en un club nocturno le había impedido° contemplar a las muchachas semidesnudas del "show" porque se empeñó° en hacerle preguntas acerca de su arte.

personality
bathtub
face
complain
drunkard
prevented
insisted on

No encontraremos, desde luego, ningún rasgo° de timidez o de modestia ni en el arte ni en la personalidad de Cuevas. Sus cuadros° y sus dibujos° o grabados° son fuertes, explosivos, y delirantes; expresan la angustia°, la amargura°, las perversiones, y el sentimiento de la muerte — y de la locura° — característicos del mundo moderno. Su personalidad es tan fuerte — y tan pintoresca° — como su arte, pero es más alegre, con esa alegría entre absurda y burlona°, entre ingenua° y cínica de los primeros pintores de los movimientos Dada y surrealista,[1] y de las películas de los hermanos Marx. Quizá hay que ver en ello la influencia del éxito°. Sus cuadros, dibujos, y grabados se venden a precios muy altos. Es, además, un hombre encantador. Su aspecto físico es tal que deja extasiados° a todos los que llegan a conocerle. Tiene rostro de niño adorable, pelo largo, lacio°, rubio, ojos de un azul penetrante. (Si no fuera tan gran pintor le sería

trait
paintings
drawings/etchings
anguish/bitterness/madness
colorful
mocking/naïve
success
thrilled
straight

[1]Dada, founded by Marcel Duchamp and Francis Picabia at the end of World War I, was an intellectual revolt against war, materialism and virtually all art. It held that human progress was a delusion and the world a bad joke. The surrealist style is subjective, portraying the "reality" of dreams and the imagination.

fácil ganarse la vida como estrella de cine.) Recibe a sus innumerables visitas (periodistas, estudiantes, amigos, admiradores, coleccionistas de arte) en su enorme estudio, medio recostado° en un sofá. Viste en forma a la vez° elegante y descuidada, un saco de ante° roto en los codos°, camisa descolorida, largas botas desgastadas° por el uso. Su estudio tiene algo de "set" cinematográfico, o de tienda de antigüedades°. Además de la vieja tina de baño hay allí numerosos cuadros y viejas esculturas, cámaras, libros, caballetes°, lienzos°, y una inmensa y antigua cama de bronce con toldo° y sobrecama de terciopelo° rojo.

lounging
at the same time/ suede coat/elbows/ worn out/ antiques
easels/canvases/ canopy/velvet

La obra de Cuevas se encuentra representada en más de veinte museos de América, Asia y Europa. Ha ilustrado numerosos libros; ha trabajado para el teatro como escenógrafo. Más de sesenta libros se han publicado sobre su obra. Ha realizado° más de sesenta exposiciones individuales y participado en más de doscientas exposiciones colectivas de carácter internacional. Thomas Messer, el director del Museo Guggenheim de Nueva York, ha afirmado que Cuevas es lo suficientemente joven como para sobrepasar a Picasso, y el famoso crítico de arte, John Canaday, ha señalado que Cuevas está considerado como el principal artista mexicano de la actualidad°.

achieved
present-day

La casa de Cuevas está en San Angel, suburbio antiguo y elegante de la ciudad de México. Cuando entro está esperándole afuera un cartero° para entregarle una invitación oficial del Gobierno (no me dice para qué acto° o función). Una criada toma la invitación y me conduce a través de un corredor, que es como un pequeño museo, al estudio del artista, situado en el segundo piso.

postman
event

GLORIA DURAN José Luis, a veces tengo la impresión de que usted ha sido célebre° durante todo este siglo. Pero, de verdad, ¿cuándo empezó usted a dibujar y a pintar?

famous

JOSE LUIS CUEVAS Bueno... quizá va a resultar un poco pedante, pero no tengo más remedio que confesar que fui un "niño prodigio" de la pintura. A los cinco años ya dibujaba bien; y a los diez años, cuando ingresé a la Escuela de Arte "La Esmeralda," dominaba el dibujo académico con suficiente habilidad.

GD Quizá heredó° este talento. ¿Eran artistas sus padres?

inherited

JLC No exactamente. Mi padre es aviador, piloto. Pero yo nací en los altos° de una fábrica de papel; quizá eso influyó en mi afición al dibujo.

loft

GD Qué práctico para un artista...

JLC En efecto. Además, la fábrica tenía un almacén° de lápices. Eran de

storeroom

la marca "El Aguila." Y todo ello en un callejón° miserable de la ciudad de México... pero que se llamaba el Callejón del Triunfo, todo un presagio°, y todavía existe. Así que mi madre me dijo que yo cuando era muy chico tomaba pedazos de carbón° y me ponía a dibujar. A los diez años empecé a sentirme profesional. *alley* *premonition* *pieces of charcoal*

GD ¿Profesional en el sentido de que vendía sus dibujos?

JLC No, en el sentido de que ya me consideraba pintor. Voy a explicar por qué. A los diez años me hicieron un "examen de aptitud" para ver si yo reunía° el talento suficiente para ser admitido a la escuela de arte. Y no me colocaron° en el primer año de dibujo, sino en un curso avanzado. De manera que yo empecé, a pesar de mi edad, a tomar clases de dibujo con modelos desnudos. Yo era el único niño en la clase. Pues eso provocó un pequeño conflicto familiar°. Yo era muy chiquito pero dibujaba mujeres desnudas... y además con mucho detalle. *had* *placed* *family conflict*

GD Un niño muy precoz°, por lo visto°. *precocious/obviously/halo*

JLC Sí. Y esto de dibujar mujeres desnudas me daba una aureola° de prestigio con mis compañeros de la escuela primaria a la que asistía entonces....

GD ¿Qué opinión tiene de las escuelas de arte?

JLC Definitivamente creo que son necesarias en cuanto que acortan el camino del artista. El autodidacta° tiene que recorrer un camino un poco más largo. El problema es que las escuelas de arte que hay en México son muy malas, muy tradicionales. Matan el talento del alumno. Hay que fijarse° en una cosa — las escuelas de arte de México sirven para que el alumno se prepare a ser futuro maestro de arte, no lo preparan para ser artista creativo. En cambio las escuelas de arte de los Estados Unidos tratan de estimular la imaginación del estudiante. *self-taught* *notice*

GD Otra pregunta: ¿cuándo vendió su primer dibujo?

JLC Sobre este aspecto — la venta de obras — también tengo recuerdos de infancia. Mi primera exposición la hice cuando tenía catorce años. Se llevó a cabo° en una tienda vacía° de la calle de Donceles. Allá la monté°, y los cuadros que se exhibieron costaban entre 15 y 50 pesos mexicanos. Se... *it took place/empty/I set it up*

GD No son precios demasiado altos. ¿En qué año ocurría?

JLC Esto ocurrió en 1948 y a pesar° de que los precios eran baratos no se vendió absolutamente nada. *in spite of*

GD Pero cuando expuso en Estados Unidos sí tuvo éxito, ¿verdad?

JLC Recuerdo que llegué a Estados Unidos con diez dólares en el bolsillo°. No tenía más. Y con una exposición en que yo creía que había muy pocas esperanzas de lograr ventas°. No porque la calidad de las obras fuera mala, ni mucho menos; pero los temas eran bastante desagradables. Eran temas de prostitución, de muerte, retratos° de ago- *pocket* *to make sales* *portraits* nizantes°, cadáveres de los anfiteatros de medicina.... *dying people*

GD Voy a tocar ahora un asunto° delicado; el de las posibles influencias de otros artistas en su obra. ¿Hay algún pintor o dibujante que haya tenido una fuerte influencia en su arte? *subject*

JCL En efecto, el tema es difícil. Me resulta casi imposible hablar de influencias de otros artistas en lo que yo hago. No creo que haya en mi trabajo, a lo menos en forma consciente, ninguna influencia de otros artistas. Eso no quiere decir que no existan artistas — algunos, quizá muchos — a los que yo admiro profundamente; sí, los admiro. Pero me sucede° algo curioso. Frente a la pintura, cuando visito algún museo, por ejemplo, me acerco a° un cuadro y difícilmente me emociono. No me producen gran emoción las artes plásticas. Las veo con un ojo demasiado crítico. En un cuadro voy más que nada en busca del aspecto técnico. Si estoy examinando una exposición de dibujos o grabados de Rembrandt, por ejemplo, estoy buscando sobre todo en qué forma aplicó una mancha°, de qué manera usó esta línea, estas sombras. Y esto, quizá, me impide sentir la emoción que despiertan en mí otras formas de arte. La literatura sí me emociona. *happens* *I draw near* *spot (of color)*

GD Entonces, ¿diremos que hay influencias literarias en su obra?

JLC Definitivamente. Sin duda.

GD Y, en este caso, ¿de qué autores?

JLC El escritor que más influyó en mí durante mi adolescencia, cuando preparaba mi primera exposición, y tenía yo entonces 14 años, fue Dostoyevsky[2]. Lo leí en una época en que vivía en un barrio° pobre de la ciudad de México; recorría las calles, frecuentaba los prostíbulos°. Me sentía plenamente identificado con Raskolnikoff, el héroe criminal de *Crimen y castigo* y en las calles del barrio yo estaba buscando una Sonia — que es la prostituta maravillosa de *Crimen y castigo.* *neighborhood* *brothels*

GD Pero, a diferencia del héroe de esta novela, usted no mató a nadie, ¿o me equivoco?

JLC No, no maté a nadie; trabajaba en un periódico de la ciudad, y con los veinte pesos que ganaba a la semana tenía suficiente dinero para no tener necesidad de matar usureros°. Pero la influencia de este novelista ruso fue entonces muy poderosa. Leía todas sus novelas, sus cartas, sus biografías. Me identificaba con él porque los mundos extraños, atormentados, pobrísimos, que él describía, eran también el universo de mi infancia. *money lenders*

GD Bueno, me parece bastante curioso que usted mencione única-

[2] Feodor Mikhailovich Dostoyevsky (1821-1881), Russian novelist whose most well-known works are *Crime and Punishment* , *The Brothers Karamazov*, *The Idiot*, and *The Possessed.*

mente a un autor extranjero. También el novelista español Galdós[3] se ha ocupado° varias veces del mismo ambiente°.

has dealt with/ environment/it just happens

JLC Sí, en efecto, es curioso; pero da la casualidad° de que a Galdós entonces yo no lo conocía.

GD Y entre los escritores mexicanos, ¿cuáles son sus favoritos?

"Me asusta ver mi propia obra."

JLC Definitivamente, los que más admiro son Octavio Paz,[4] Juan Rulfo,[5] y Carlos Fuentes.[6] Con Fuentes me he sentido muy identificado porque los dos somos de la misma generación, somos buenos amigos desde hace muchos años, y los dos somos, por decirlo así, "los hijos de la Revolución."[7]

GD Bueno, ahora viene una pregunta personal. A veces sus monstruos me parecen niños horribles. Me pregunto entonces si usted odia° a los niños... o si los teme°.

hate
fear

JLC Yo no veo ninguna semejanza° con la infancia en mis personajes, ni mucho menos. Es más; creo que hay una mayor similitud con la vejez, que es una de mis constantes preocupaciones.

similarity

GD Así, pues, ¿no son niños los que aparecen en sus dibujos?

JLC No, me extraña°. Quién sabe qué habrá visto. Más que nada expresan la edad, el paso del tiempo, el deterioro físico, la enfermedad, la muerte. No tiene nada que ver mi obra con el mundo del niño.

I find it strange

GD ¿Emplea modelos para su trabajo o se sirve nada más de su imaginación?

JLC Tengo la costumbre de llevar a todas partes una libreta de apuntes°. Yo tomo apuntes en muchos lugares. Estoy obsesionado por el tema de la prostitución, de las prostitutas, por haberlas visto desde chico. Y resulta que he dibujado prostitutas en prostíbulos de Hamburgo, en Tánger, en Barcelona, en la calle Echegaray de Madrid, en Buenos Aires.

sketch pad

---

[3] Benito Pérez Galdós (1842-1920), the novelist who portrayed Spanish bourgeois and proletarian society in *Fortunata y Jacinta, Misericordia,* and many other novels.

[4] Octavio Paz, Mexican poet and essayist (b. 1914), author of *El laberinto de la soledad, Libertad bajo palabra,* and *Blanco.*

[5] Juan Rulfo, Mexican novelist and short story writer, author of *El llano en llamas* (short stories) and *Pedro Páramo* (novel).

[6] Carlos Fuentes, Mexican novelist, short story writer, and essayist, author of *La región más transparente, La muerte de Artemio Cruz* (novels), *Cantar de ciegos* (short stories) and numerous other works. See interview with Fuentes.

[7] Children whose parents lived through the Mexican Revolution which lasted approximately from 1910 to 1920.

GD Quizá podría usted escribir una guía turística a los prostíbulos del mundo.

JLC Sí, en efecto. Ya en mi primera exposición me ocupaba de ellas. Incluso después en Washington cuando empecé a vender mis primeras obras con este tema y me preguntó alguien de qué vivía, respondí que... vivía de las prostitutas.

GD Vamos a explorar otras obsesiones. ¿Es el cine una de ellas?

JLC Desde luego que sí. En casa de mi infancia, en los altos de la fábrica de papel, descubrí un día un viejo proyector de cine que había pertenecido a mi padre. A los niños nos daba miedo entrar en aquel cuarto, porque las criadas contaban historias de que allí había aparecidos°, fantasmas°. Un día me había quedado° solo en la casa y entré al cuarto alumbrándome° con una lámpara de mano. Empecé a descubrir ese mundo fabuloso de los objetos que han sido nuevos en alguna época, y de pronto descubrí allí el viejo proyector. Había un gran espejo° cubierto con una manta°; empecé a accionar el proyector. Tenía un pequeñísimo trozo° de película de unos cuantos segundos, con una figura que empezó a caminar sobre la manta. Eso me impresionó mucho. Bastaba con que yo hiciera funcionar el proyector para que ese pedazo° de película cobrara° vida y el personaje empezara a moverse sobre la sábana°. Sentí que yo tenía el poder de dar vida a aquel personaje desconocido, hacerlo mover sobre una superficie que al mismo tiempo cubría un espejo donde se reflejaba mi imagen.

ghosts/phantoms/remained/ lighting my way

mirror/blanket

fragment

piece/took on

sheet

GD ¿Ha trabajado en el cine alguna vez?

JLC No, pero se puede decir que ejerció una gran influencia sobre mí. Me impresionaron mucho ciertas películas que vi en mi infancia, películas de terror, *Dracula,* y *Frankenstein.*

GD Y poco a poco todo ello fue pasando a su arte, a su inspiración.

JLC Así sucedió. Ejercieron en mí una influencia poderosa. Todo este mundo de horror ha sido precursor de muchas cosas que ahora van siendo° bastante comunes. El sentimiento de lo monstruoso, de lo exagerado, de lo "freak", como se dice en inglés, es muy de nuestra época, y es cosa que siempre ha estado en mí.

getting to be

GD ¿No será que absorbió la presencia de lo monstruoso y absurdo a través de los grabados de Goya?[8]

JLC Los críticos hablan a veces de una influencia de Goya en mi obra. Eso es absolutamente falso. No existe tal influencia porque no lo conocía entonces. Yo dibujaba con mi estilo propio antes de conocer a Goya. Después lo estudié, como estudié a otros clásicos. Pero no veo el menor parecido° entre mis dibujos y el arte de Goya.

resemblance

[8] Francisco de Goya (1746-1828), the great Spanish painter.

GD Me refería más bien a los temas.

JLC Ni siquiera nuestros temas son los mismos. Por otra parte, sí me siento vinculado° al arte español. Yo creo que en parte mi obra es muy española. *tied*

GD Bueno, pero, naturalmente usted se considera pintor mexicano.

JLC Sí, así es, sin duda. Hay una serie de objetos, de cosas, que son parte de la cultura mexicana, y que fueron parte también, como es lógico, de mi infancia y de mi formación. Por ejemplo, los juguetes° populares. Y definitivamente el sentido de lo grotesco existe en el arte mexicano precolombino[9] y no tanto en la tradición española. En cambio en mi relación con la muerte soy más español, porque en mí no puede haber un sentido festivo frente a la muerte, como lo hay en la vieja tradición mexicana. No hay en mí un sentido de burla° hacia la muerte. *toys* / *poking fun*

GD Yo diría que a veces hay algo de crítica social en su arte. Sus obras reflejan, deformándolo y criticándolo, el mundo exterior. Pero al mismo tiempo, y combinado con ese mundo social, están los reflejos del subconsciente.

JLC Así es, en efecto. Las dos caras de una misma moneda°. *coin*

GD Creo que vale la pena° explorar las reacciones de un artista ante su propia obra. ¿Son reacciones, en conjunto°, positivas? vale... *it is worthwhile* / *in general*

JLC Sí, en conjunto. Pero para mí es una experiencia aterradora° entrar en una sala de arte donde hay obras mías. Por eso siempre procuro que a las inauguraciones de mis exposiciones vaya mucha gente, porque cuando hay mucho público cubren° mis cuadros y ya no me permiten verlos. Me asusta ver mi propia obra. No es un problema de inseguridad frente a la posible falta de calidad de mis trabajos, sino más que nada es una especie de angustia contemplar los personajes que dibujo. En mi casa no tengo ni una sola obra mía colgada°. Si en una exposición mía la sala está vacía, o sea que las personas no tapan° con sus cuerpos mi obra, entonces lo que hago es quitarme los lentes°. Ahora, efectivamente, nuestra propia obra a veces no nos satisface. A veces yo me doy cuenta°, y otras veces lo ven los críticos de arte. *terrifying* / *they cover* / *hanging on the walls* / *cover* / *eyeglasses* / *I realize (it)*

GD ¿Ha sido aplaudido su arte por los críticos mexicanos, o más bien ha alcanzado° el aplauso de los críticos extranjeros? *reached*

JLC Definitivamente en México soy popular en el sentido de que soy bien conocido, pero creo que me entienden mejor en el extranjero que en mi país.

GD ¿Y a qué es debido° esto? *due to*

JLC A ciertos complejos que tiene el mexicano. Es muy difícil de ex-

[9] Precolumbian, before the arrival of Columbus and the Spanish conquerors.

plicar.

GD ¿No tiene esto nada que ver° con los temas de su arte? *nothing to do with*

JLC No, creo que no. En México se me ha atacado mucho, y personalmente no tengo ninguna necesidad de vivir en México. Podría vivir en el extranjero°. Pero siento que los pintores latinoamericanos debemos vivir en nuestros países. Mis exposiciones casi siempre las llevo a cabo en el extranjero, pero debemos vivir aquí, porque de lo contrario° estamos demasiado expuestos a las influencias de otras culturas, y poco a poco se van secando nuestras raíces°. Caemos en una especie de internacionalización. Algunos pintores latinoamericanos deciden vivir en otros países... y al final acaban siendo solamente figuras menores de la escuela francesa o del arte "pop"[10] norteamericano.

abroad / *otherwise* / *roots*

GD ¿Cuándo se dio usted cuenta de que "el resto del mundo," las minorías que entienden de arte, estaba de acuerdo con su obra?

JLC Esto ocurrió hace ya muchos años, cuando expuse° por primera vez en los Estados Unidos y encontré una respuesta inteligente por parte del crítico de la galería de arte y de unas otras cuantas° gentes. Era para mí un momento difícil, porque mi obra encontraba el rechazo° del público de México porque no tenía nada que ver con la llamada escuela mexicana de pintura. No se parecía al arte de Orozco,[11] al de Diego Rivera,[12] o al de Siqueiros,[13] ni siquiera al de Rufino Tamayo,[14] y además en Estados Unidos también estaba en contra de la moda neoyorquina° de este momento, que favorecía el arte abstracto. (Hasta cierto punto era una actitud inversa° a la mexicana.) En México se decía que sólo había un camino — la pintura socialista, como la de Siqueiros. Y en los Estados Unidos también había un sólo camino — el del abstraccionismo. Y yo sabía que no podía, no quería, ser abstracto.

exhibited / *a few other* / *rejection* / *New York style* / *opposite*

GD Entonces su exposición iba al fracaso°. ¿O no ocurrió así? *failure*

JLC No, al contrario. De veras, se vendió todo lo que expuse... y salió una crítica muy favorable en el *Time Magazine*. Yo seguía viviendo como artista pobre, pero tomé el tren de Washington a Nueva York para firmar° un contrato. Me senté en mi asiento en el vagón° del tren,

to sign/coach

---

[10] American art movement, exemplified by the work of Andy Warhol, Roy Liechtenstein, and others, which was highly fashionable in the period from 1955 to 1965.

[11] José Clemente Orozco (1883-1949), Mexican muralist and painter.

[12] Diego Rivera, Mexican muralist and painter. Like Orozco, he often deals with subjects related to the Mexican revolution and political problems.

[13] David Alfaro Siqueiros, Mexican muralist and painter, also drawn to political subjects.

[14] Rufino Tamayo, Mexican painter and muralist, somewhat more abstract than the other three Mexican artists mentioned above.

y todos los pasajeros° sentados en aquel mismo vagón iban leyendo la revista *Time*. Yo esperaba que llegaran a la página donde estaba mi foto... y adoptaba el gesto° que tenía en la fotografía para que me reconocieran. (Tenía yo veinte años.) Pero cuando llegaban a las páginas de arte, las pasaban de largo°, sin mirarlas ni detenerse. Entonces nada sucedió. Por más que yo adoptara el gesto de mi foto en la revista, nada pasaba. Hasta que por fin llegué al Museo de Arte Moderno, de Nueva York. Yo usaba° el pelo muy largo. Había una muchacha que trabajaba allí, con cabello lacio, que me miraba. Me dijo que ella también era pintora. Entonces tomé un café con ella. Luego pasamos a un cuarto oscuro del museo, donde había una pintura famosa, y allí la muchacha me preguntó si quería hacer el amor con ella. ¿Dónde? dije yo. Pues aquí. Y efectivamente hicimos el amor frente a la pintura, y después me dijo, "Bueno, adiós, mucho gusto, *good-bye*." Y no volví a saber más de ella. Pero salí del Museo de Arte Moderno con la más absoluta conciencia de que yo era una persona importante porque pensé que ella se me había entregado° porque yo era o iba a ser famoso.

passengers

pose

las... *they skipped over them*

wore

surrendered

GD Todo esto es muy interesante... pero es el pasado. Hablemos ahora del futuro. Del futuro de los jóvenes. ¿Qué consejos° le daría a un joven artista para llegar a ser un gran artista?

advice

JLC Resulta muy complicado dar esta clase de consejos. Es, creo, un problema de vocación, y no vale la pena pensar en ser célebre. Mejor pensar en lo que uno lleva dentro y debe ser expresado. De todos modos la situación objetiva ha mejorado. Cuando yo empecé a trabajar, el dedicarse a la pintura° era tan escandaloso como dedicarse a la prostitución. Cuando yo empecé no había una mujer que le hiciera caso° a un pintor. Podía uno tener sus aventuras, sus amantes, pero no podía aspirar a casarse. Creo que por mi parte he contribuido un poco a darle algo de prestigio a la carrera de pintor. Con mi actitud pretenciosa, diciendo que mi obra vale mucho, he creado una especie de justicia. Ahora ya las madres aconsejan a sus hijos que se dediquen al arte. Pero lo esencial — hoy, ayer, mañana — es la necesidad de expresarse. Hacer arte es una manera de psicoanalizarse. Si el arte es muy bueno el artista no necesita psicoanálisis.

el... *the career of painting*

would pay attention

GD Y este análisis ayuda tanto al artista como al público, al que ve, contempla, aprecia la obra de arte.

JLC Sí, porque toda obra de arte es como una bomba, una bomba de tiempo. Estalla, pero no para matar, sino para limpiar la atmósfera.

Ejercicios

DEFINICIONES: *Escoge la palabra definida: periodista, antigüedades, borracho, tina, dibujo.*

1. Alguien que bebe mucha bebida alcohólica puede ser un ________.
2. Alguien que escribe artículos de periódico es un ________.
3. Un lugar donde uno puede bañarse es una ________.
4. Los artículos de valor que son muy viejos son ________.
5. Un diseño hecho con lápiz o pluma es un ________.

SINONIMOS: *Da un sinónimo para estas palabras:*

1. famoso
2. tópico
3. ocurrir
4. detestar
5. semejanza
6. aparecido
7. tapar
8. tener miedo de

VERBOS: *Vuelve a escribir la frase, usando el subjuntivo.*

1. A sus exposiciones va mucha gente. El procura que _______.
2. Yo creo que son niños los que aparecen en sus cuadros. A él le extraña que ________.
3. Hay una influencia de Goya en su obra. El no cree que ________.
4. La gente en la calle le reconoce. El adopta un gesto extraño para que la gente ________.

Preguntas

1. Escoje los adjetivos que pueden aplicarse a Cuevas: humilde, tímido, alegre, borracho, célebre, ingenuo, guapo, loco, desconocido, callado, expresivo, frío.
2. ¿Cuáles son las técnicas que él emplea para expresarse artísticamente?
3. ¿Cúales son sus temas favoritos?
4. ¿Dónde vive el artista?
5. ¿Cuándo empezó a sentirse "profesional" y en qué sentido de la palabra?
6. ¿Cómo impresionó a sus compañeros en la escuela primaria?
7. Qué opina él de las escuelas de arte en México? ¿en los Estados Unidos?
8. ¿Por qué se identifica Cuevas tanto con el novelista ruso, Dostoyevski?

9. Menciona algunas preocupaciones suyas. Da algunos comentarios sobre cada una.
10. ¿Por qué niega Cuevas que haya influencia de Goya en su arte?
11. ¿Cuál es su reacción ante su propia obra?
12. ¿Por qué cree que debe seguir viviendo en México?
13. ¿Dónde cree él que es entendido mejor?
14. Explica su dilema con respecto a la pintura socialista y la pintura abstracta.
15. Según Cuevas, ¿cómo ha ayudado él a darle más prestigio a la carrera de pintor?

Opiniones

1. ¿A ti te gustaría conocer a Cuevas? Explica tu respuesta.
2. ¿Qué opinas de su declaración: "Hacer arte es una manera de psicoanalizarse"?

Conversación

1. ¿Cuál es la característica que más te importa en un(a) novio(a)? ¿hermosura? ¿inteligencia? ¿calor humano? ¿sentido del humor?
2. ¿Te gustaría tener a alguien como J. L. Cuevas como amigo o miembro de tu familia? Explica tu respuesta.
3. Físicamente, ¿cómo te describirías a ti mismo? ¿Y tu carácter?
4. ¿Todavía es muy importante para ti el mundo de tu infancia? Los recuerdos de ese mundo ¿son en general agradables o desagradables? ¿Te gustaría volver a ser niño(a)? ¿Por qué? ¿Quieres hablarnos de algún episodio o alguna persona que era muy importante para ti?
5. ¿Hay algún autor que haya influido mucho en tu vida? ¿Algún cantante? ¿Alguna estrella de cine?
6. ¿Qué clase de películas te gusta más? ¿Te gustan las películas de horror? ¿de espías? ¿de pistoleros? ¿Has visto una buena película recientemente? ¿Puedes describirla?
7. ¿Crees que Cuevas siempre nos dice la verdad o que a veces puede mentir? Explica tu respuesta.
8. ¿Te atrae la carrera de pintor? Explica tu actitud.
9. ¿A ti, personalmente, te gustaría ser como Cuevas, es decir tener su personalidad, y su talento, o tienes otro ideal?

"Yo creo que una mujer madura puede dar más a un compañero joven que un viejo a una muchacha."

Brígida Alexander, escritora y actriz

Brígida Alexander, novelista a los 73 años, es una mujer de muchísimos talentos. Nació en Alemania de una familia judía y acomodada°. Era pariente de Alberto Einstein. Durante el período nazi, se trasladó° a Francia donde trabajó como actriz. Fue Einstein quien se ocupó de la familia Alexander y arregló su pasaje a México, así salvándola de los hornos de exterminación de los nazis. En México, donde ha vivido más de 40 años, Brígida ha sido pionera en la televisión educativa. Entre otros oficios también ha organizado conferencias internacionales, ha sido traductora e intérprete, y ha desarrollado° un sinfín° de otras actividades. También ha servido durante un período largo como vice-presidente de Amnistía Internacional, trabajando para liberar a los prisioneros políticos en todas las partes del mundo.

well-off
moved
developed/ endless number

Brígida es una persona de entusiasmo contagioso. Habla constantemente, utilizando todos los recursos° del teatro: las manos, los ojos, una voz que baila rápidamente sobre la escala musical. Es eternamente joven, abierta a nuevas ideas, nuevas personas, siempre generosa. La gordura° de que se ha quejado° toda la vida no es muy marcada, ya que Brígida es bastante alta. En la conversación a veces interpone palabras francesas y alemanas, pero cuando escribe se esmera° en escribir un español clásico y puro.

resources
obesity
has complained
takes great care

Primero vamos a entrevistar a Brígida; después a su ilustre hija, Susana Alexander, estrella de cine y de la televisión mexicana. La cara de Susana, con grandes ojos azules y peinado hombruno°, es reconocida por todos los mexicanos que ven las telenovelas° y también por el público que asiste al teatro donde Susana, tanto como su madre, es bien conocida.

mannish
television soap operas

GLORIA DURAN Brígida, entre los oficios° de actriz, directora de televisión y de teatro, y escritora, ¿cuál escoges como carrera que te dé más satisfacción, que te permita expresarte mejor? *careers*

BRIGIDA ALEXANDER Lo que más satisfacción me dio es la televisión educativa y cultural. Inicié mi carrera en 1950 en el Canal 4 como directora artística y seguí en el Canal 11 como Jefa de producción. La idea de ser útil y necesaria, haciendo programas de matemáticas, inglés, historia del arte, primeros auxilios°, teatro clásico y moderno, ballet, y concursos musicales con becas° para el triunfador, y un sinfín de programas de esta índole°, me dio mucha satisfacción. Además obtuve respuestas muy positivas por parte de jóvenes y adultos quienes vieron esos programas. *first aid* *scholarships* *nature*

GD ¿Por qué abandonaste estas actividades?

BA Por circunstancias fuera de mi alcance° que tienen que ver° con la estructura política del país. *control, reach/ having to do with*

GD Bueno, vamos a hablar de otros oficios tuyos. Como dice la solapa° de tu libro, *Breve episodio de la vida de una mujer gorda*, has sido criadora de puercos, vendedora ambulante° de cremas de belleza, y según mis propios recuerdos también fuiste cultivadora de hongos°, aparte de tu trabajo normal como traductora y administradora de congresos internacionales. Supongo que todos tus empleos comerciales fueron para ganar dinero solamente. *jacket cover of book* *traveling saleswoman/mushrooms*

BA Tienes razón. Las actividades multifacéticas que desempeñé° las llevé a cabo° para ganar dinero, incluso el trabajo de traductora y organizadora de congresos internacionales, pero me gustaron. Después de todo se trataba de comunicación social, como lo son los programas culturales de la TV. También en la TV trabajé como escritora, adaptando, traduciendo para ese medio y escribiendo originales. También trabajé a menudo en TV como actriz, y sigo haciéndolo. *engaged in* *undertook*

GD ¿Quieres decirnos algo de tus papeles° recientes? *roles*

BA Mis últimos papeles eran una maestra de alemán en una obra de Israel Horowitz, *El primero*, una nana° vieja en una obra de Gorki, *Los últimos*, y actualmente° estoy ensayando° una obra de un autor alemán que ocupa un primer lugar en el teatro alemán moderno: Botho Strauss, *Grande y pequeño*, obra de gran impacto y renovadora en su técnica y presentación. Hago el papel de "La Vieja". Pero incluso de joven era mi papel favorito, mi especialidad. *nurse* *currently/ rehearsing*

GD ¿Son compatibles las carreras de actriz y escritora? ¿Una ayuda a la otra o compiten por tu tiempo?

BA Se combinan perfectamente. No hay problema.

GD Veo que estás satisfecha con estas dos carreras. Quisiera saber otra cosa. ¿Has fomentado° el interés por el teatro en tu hija o has tratado *encouraged* de desalentarla°? *to discourage her*

BA De ninguna manera. Siempre he tratado de alentarla. Ella empezó a los seis años en un programa de TV en el Canal 4 — en efecto el primer programa de TV de México y toda América Latina.

GD ¿Tú aconsejas° a tu hija todavía o es ella ahora quien te aconseja a ti? *advise*

BA Es ella la que me aconseja. Yo también le doy consejos, que no escucha para nada.

GD Haremos otra entrevista con Susana. Ahora te toca a ti°. ¿Cuándo empezaste a escribir ficción? *it's your turn*

BA Muy temprano. A los quince años, y me la publicó el afamado° diario berlinés *Vossische Zeitung*. Más adelante me publicaron cuentos en *Le Populaire* de París. También me han publicado en revistas suizas. *famous*

GD Entonces eres escritora en tres idiomas. ¡Qué fantástico! ¿Puedes decirnos cuál es tu método de escribir? ¿Piensas primero en la trama° o en los personajes°? *plot* *characters*

BA No tengo método alguno. No pienso nunca en la trama, sino que ésta se desarrolla automáticamente con los personajes. En cuanto a los episodios, algunos son inventados, otros son recuerdos y la mayoría son una mezcla°. No tengo ninguna técnica especial para escribir. Sin embargo, creo tener un estilo mío que no puedo cambiar aunque quisiera. *mixture*

> *"Sigo sintiéndome una mujer gorda y además me sentía mucho mejor con mis grasas y llantas protectoras."*

GD En tu libro, *Breve episodio de la vida de una mujer gorda*, hablas mucho de la tentación de comer cuando las cosas no te salen bien. ¿Eso es algo que te pasa cuando estás escribiendo?

BA No, afortunadamente no tengo hambre especial cuando escribo, más bien no como cuando escribo. Casi siempre escribo de noche, a veces en un café o en el metro° cuando no está repleto° (porque entonces ni hay lugar para respirar). *subway/full*

GD Tampoco fumas, ¿verdad?

BA Nunca fumo. No aguanto° el humo del cigarrillo. *I can't stand*

GD Regresemos al tema de la gordura. Eso me fascina. ¿Por qué te crees gorda y siempre así te has creído sin ser realmente gorda?

BA Creo que tu memoria necesita lentes°. Me considero gorda porque siempre fui gorda. *glasses*

GD Pues, ¿no te parece que la gordura es más bien un estado de ánimo°, que nos parecemos gordos cuando estamos insatisfechos con nosotros mismos? *state of mind*

BA No, no creo que sea un estado de ánimo, sino el resultado de la báscula° que no miente. Pero por diferentes razones ahora ya no estoy gorda. Perdí 15 o 20 kilos. Y francamente no me acostumbro y busco siempre los vestidos de la talla° 40 en las tiendas, a pesar de ser talla 34 desde que adelgacé°. A decir verdad, perdí algo de mi identidad con esta esbeltez tardía°. Sigo sintiéndome una mujer gorda y además me sentía mucho mejor con mis grasas° y llantas° protectoras. Mi esbeltez actual° es una de las ironías de la vida.

scale / *size* / *lost weight* / *late slimness* / *fat/tires (fat at waist)/current*

GD Pues, basta de este tema obsesivo para las mujeres. Hablemos ahora del cuento que da el título a tu libro. La narradora eres tú, ¿verdad?

BA No, yo no soy la narradora de mis cuentos, excepto unos cuantos. No éste.

GD Pero en el cuento hablas de amigos presos° y sé que como miembro de Amnistía Internacional siempre te han preocupado las personas encarceladas° por razones políticas. Por eso te pregunto si tus amigos presos están en México.

prisoners / *imprisoned*

BA Tú debes saber que es una regla de Aministía Internacional nunca ocuparnos de los prisioneros del país en que radicamos°. En cambio la sede° de Londres nos asigna un prisionero de conciencia en otro país. Por ejemplo, tuvimos un argentino, un ruso de la URSS, un polaco, uno del Paraguay y uno de Somalia, y actualmente estamos trabajando el caso de un pakistano.

we live / *headquarters*

GD En el cuento piensas visitar a uno de esos presos, pero por flojera° no lo haces. En realidad, ¿has visitado personalmente alguna cárcel?

laziness

BA Yo sólo fui a ver a un preso hace muchos años y él no tenía nada que ver con la política. Era por cierto un ciudadano norteamericano que estuvo en la antigua cárcel de Lecumberri. En nuestro país hay cárceles espantosas, sin higiene, con mala comida, sucias y apestosas°, pero también las hay magníficas. Incluso hay una cárcel modelo, donde los presos salen de la cárcel por la mañana, para ir a trabajar, dando su palabra de honor que van a regresar al anochecer. Las fugas° han sido mínimas, ni siquiera uno por ciento. Tienen celdas limpias, confortables, derecho de visita dominical° de toda la familia con la que reparten la comida en el patio o el jardín; se ve como un alegre tianguis.[1] La que vi se halla en Toluca, y es obra del Dr. Sergio García Ramírez, nuestro Procurador General° actual.

evil smelling / *escapes* / *Sunday visiting privileges* / *Attorney General*

GD Brígida, podrías decirme si te has metido en Amnistía Internacional por razones abstractas, es decir, para servir a la humanidad, o si tienes otros motivos, más personales, para intervenir en estas situaciones tan tristes.

BA Mira, estoy en Amnistía para reparar injusticias y crueldades que me

[1] An Indian word meaning marketplace.

quitan el sueño°. Eso no es nada abstracto. Claro, la idea de que yo estoy ayudando a esa pobre gente es en parte una dulce ilusión. Porque raras veces obtienes una respuesta de los prisioneros, ni sabes si les llega nuestra correspondencia o si las autoridades del país en cuestión han hecho caso° a nuestras peticiones. Si el preso es liberado, nos da mucho gusto, a pesar de saber que según los estudios de AI, sólo aproximadamente un 25% fue puesto en libertad debido a la intervención de nuestra organización. El resto de los casos recibe la intervención de varias organizaciones humanitarias o religiosas o las dos en conjunto°.

keep me awake at night / *have paid attention* / *together*

GD Regresemos al cuento. Aquí te vemos en el papel de traductora. O, más bien, la narradora es traductora. Quisiera saber si este trabajo te ha ayudado a desarrollar tu propio estilo literario.

BA De ninguna manera. El de las conferencias internacionales es un lenguaje seco, especializado, restringido°. Como tú sabes: "Señores y señoras, tengo el horror[2] de presentarles al distinguido delegado del...". Pero la traducción literaria es otra cosa.

restricted

GD Sigamos con el cuento. Allí también hablas en términos muy cariñosos de tus abuelos. ¿Te es más fácil recordar cosas de tu juventud que los acontecimientos° de hace unos años?

events

BA Sí, como todos los viejos, recuerdo mucho mejor detalles de mi infancia y adolescencia que los sucesos° de hoy o ayer.

happenings

GD ¿Crees que la memoria es una consolación o un castigo°? ¿Te gustaría no tener memoria?

punishment

BA ¿Cómo puedes preguntar si la memoria es un castigo? ¿No sabes que todos los seres humanos tienen una tendencia a embellecer° todo el pasado, sin acordarse de los momentos difíciles, o incluso borrándolos° de la mente? Claro que no me gustaría no tener memoria. Es parte de mi presente y hasta de mi futuro.

beautify / *erasing them*

GD No sé si este cuento trata de tu pasado o tu futuro pero es cuestión de una mujer mayor° que siente una atracción por un hombre más joven. ¿Tú crees que eso es una experiencia frecuente tanto para las mujeres como para los hombres que son atraídos por las jóvenes? ¿Crees que puede tratarse de un sentimiento maternal o paternal que se confunde° con nociones románticas?

older / *gets confused*

BA Mira, nunca se confunden amor pasional y amor maternal, sino que existen uno al lado del otro. Hay que vivir mucho para entenderlo.

GD Otra cosa, ¿por qué generalmente el mundo acepta el casamiento de un viejo con una joven pero se escandaliza cuando una mujer mayor

---

2 Ella se refiere a una consabida (well-known) equivocación (freudiana) de un delegado a un congreso internacional, presentando a otro delegado que odiaba.

entabla amistad° con un hombre mucho más joven que ella? ¿Crees que las cosas están cambiando hoy día?

develops a friendship

BA No creo que hayan cambiado las cosas hoy día. Pero siempre me ha disgustado esa actitud que describes muy bien, o sea que la gente se indigna de ver una mujer madura con un amante joven, mientras que encuentra perfectamente normal la relación de un anciano° y una chamaca°. Yo creo que en efecto una mujer madura puede dar más a un compañero joven que un viejo a una muchacha.

old man

young girl (Mexican)

GD Como todos los lectores de tu libro saben, ya eres abuela. Al final del cuento que reproducimos en nuestro libro hablas, como toda buena abuela, de tu nieta°. ¿Crees que la vida de ella va a ser mucho mejor que la tuya?

granddaughter

BA Desafortunadamente, no lo creo. Con todo y guerra, persecución y exilio, nosotros vivíamos en una época en la que había todavía esperanza y fe en un mundo mejor, que ya se desvanecieron°. Yo no quisiera ser joven ahora.

disappeared

GD ¿Qué opinas de la nueva generación de jóvenes mexicanos?

BA No los entiendo. Pero no se puede generalizar. Los hay bien educados y de gran valor humano e intelectual, pero son pocos. Los demás° me indignan por su superficialidad, estupidez, incultura, indiferencia política y *last but not least* su actitud irrespetuosa hacia los adultos y sobre todo los ancianos. Cuando llegué a México, hace más de 40 años, los señores y jóvenes se levantaban en el tranvía, camión, etc. Ahora no se inmutan° al ver a una abuelita, un inválido, o una madre con bebé en el rebozo°. En Amnistía Internacional hay otro ambiente. Se mezclan todas las edades, sin dicriminación de viejos o jóvenes. Pero hay que decir que es extremadamente difícil reclutar a jóvenes para esta causa. Generalmente son las excepciones que confirman la regla. La gente de Amnistía Internacional generalmente es de edad media (y también de la clase media).

the rest

blink (here)

Mexican shawl often used for carrying infants

GD Brígida, a pesar de tu visión algo pesimista de la nueva generación y del futuro, ¿te gustaría volver a vivir tu vida?

BA No sé. Estoy un poco cansada y sentiría algo de flojera. Pero probablemente entre las dos opciones, revivir o morir, escogería la primera.

GD Bueno, y si vivieras tu vida otra vez, ¿harías algo de otra manera?

BA Te contestaré con una palabra: todo.

GD Pero seguirías escribiendo, ¿verdad? ¿No crees que la gente seguirá

> ***"Incluso hay una cárcel modelo, donde los presos salen de la cárcel por la mañana, para ir a trabajar, dando su palabra de honor que van a regresar al anochecer."***

escribiendo — y leyendo — novelas dentro de cien años?

BA ¿Quién puede saberlo? Pero yo creo que sí, porque la literatura entretiene, instruye, comunica, nos hace ver otros horizontes, nos saca de nuestra realidad y nos lleva a otras realidades desconocidas, nos da un baño de poesía, etc. Y podría seguir así infinitamente porque la literatura, sí, me llena de entusiasmo.

Ejercicios

VOCABULARIO: *Utiliza la forma apropiada de las expresiones o palabras siguientes en cada frase:*

llevar a cabo	adelgazar
suceso	desvanecerse
aconsejar	flojera
trasladarse	

1. Mi madre siempre me _______ bien, pero yo nunca le hacía caso.
2. Los prisioneros _______ a una celda nueva.
3. Esos son aspectos que recuerda de su juventud que ya _______.
4. Ir al teatro representaba un _______ extraordinario en mi pueblo.
5. Cuando hace mucho calor a veces siento un poco de _______ y no me gusta trabajar.
6. Ella _______ muchos trabajos importantes para la AI.
7. El médico le dijo a mi padre que necesitaba _______, pues está un poco gordo.

Preguntas

1. Menciona algunos de los oficios que ha tenido Brígida.
2. ¿A qué edad empezó a escribir y a publicar?
3. ¿Qué opina Brígida sobre su aspecto físico?
4. Según Brígida, ¿son todas las cárceles mexicanas iguales? Explica tu respuesta.
5. ¿Por qué no se ocupa Brígida de los prisioneros en las cárceles mexicanas, siendo ella miembro de Amnistía Internacional?

6. ¿Qué dice Brígida acerca del amor romántico y el amor maternal?
7. Según Brígida, ¿cuál es preferible, una relación amorosa entre una mujer madura y un joven o entre un viejo y una chamaca?
8. ¿Por qué Brígida no quisiera ser joven ahora?

Opiniones

1. ¿Te parece que Brígida Alexander es una abuelita típica? Explica.
2. ¿Te gustaría tener una abuela como ella? ¿Por qué?
3. ¿Crees que es bueno que un hijo(a) siga la misma carrera de su padre o su madre? Explica.
4. ¿Por qué crees que para muchas jóvenes es muy importante ser delgadas? ¿Era así en otras épocas también?
5. ¿Te parece que hoy día damos demasiado importancia al cuerpo y no al alma?
6. ¿Has visitado, alguna vez, a alguien encarcelado? ¿Te interesaría hacerlo? Explica.
7. ¿Crees que hay presos políticos en los E.E.U.U.? ¿Cómo defines a un preso político? ¿En qué países hay más presos políticos?
8. ¿Has oído hablar antes de Amnistía Internacional? ¿Qué sabes de esta organización? ¿Te gustaría apoyar *(support)* su trabajo?
9. En tu opinión, ¿por qué dice Brígida que una mujer madura puede dar más a un compañero joven que un viejo a una muchacha?
10. ¿Crees que Brígida tiene razón cuando dice que la nueva generación de mexicanos es superficial, irrespetuosa hacia los adultos e indiferente a la política? ¿Dirías tú lo mismo de tu propia generación en los EE.UU.?

Conversación

1. ¿Qué opinas acerca de la televisión educativa en los EE.UU.? ¿La miras? Si no, ¿por qué? ¿Cuáles son tus programas favoritos? ¿Por qué?
2. ¿Te empujan *(push)* tus padres hacia una carrera en particular? ¿Crees que es bueno que los padres hagan eso? ¿Cuál debe ser el papel de los padres con respeto a las carreras de sus hijos?
3. ¿Cuándo comes más: durante las comidas, cuando miras la televisión, cuando haces tus tareas, después de hacer mucho ejercicio?

¿Crees que comes más para satisfacer necesidades biológicas o psicológicas?

4. Para ti, ¿qué sería lo peor de estar encarcelado?
5. ¿Crees que debemos gastar más dinero en construir cárceles más humanas?

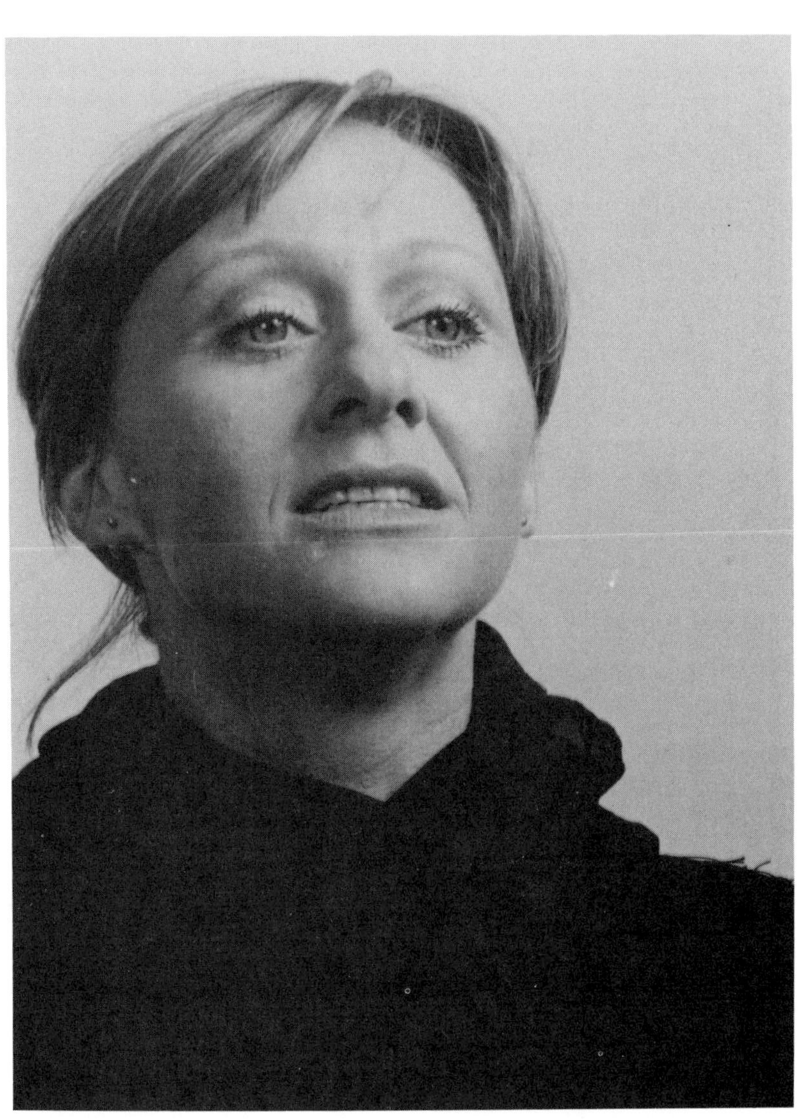

"Todas las mujeres y los hombres también tenemos algo de prostitutas... y de inocentes."

Susana Alexander, actriz de segunda generación

Susana Alexander, hija de la directora de televisión, actriz y escritora, Brígida Alexander, es una de las actrices más conocidas de México. Ha desempeñado muchos papeles en el cine mexicano y también en las telenovelas. Ha hecho muchas giras por Europa y los Estados Unidos, visitando universidades norteamericanas, presentando sus interpretaciones dramáticas de la prosa y de la poesía española. Una de estas presentaciones, con música, ha sido grabada en la cinta que se titula *Aquí estoy, Amor.* (Es una colección de poesía amorosa, elegida e interpretada por esta joven actriz.) Cuando Susana Alexander no está delante de la cámara o en la escena de un teatro, también, muchas veces, como su madre, trabaja de directora.

GLORIA DURAN Bueno, ahora te toca a ti°, Susana, completar la entrevista con tu mamá. En un capítulo de su libro, la narradora parece que eres tú, una hija que cuenta todos los detalles relacionados con la muerte de su papá cuando ella tenía solamente siete años. De veras, ¿contaste todo esto a tu mamá o es ella quien lo inventó? *it's your turn*

SUSANA ALEXANDER Las dos conclusiones son correctas. A través de los años yo fui diciéndole a mi mamá acerca de mi doloroso sentimiento por la pérdida de mi padre. Y mi mamá, con gran sensibilidad, encontró la manera de redactarlo° como si fuera una composición escolar. Mi mamá supo ponerse en mi lugar y narrar lo que el amor de mi papá significó para mí y cómo su muerte me dejó un vacío° para siempre. *edit it* *emptiness*

GD Veo que tienes una relación muy estrecha° con tu mamá. Cuando ella se refiere a ti en su libro, pareces la niña perfecta. ¿Tú también crees que ella es la mamá perfecta? *close*

SA Pues no es cierto. No soy la niña perfecta. Pero mi mamá es una mujer si no perfecta sí con un mundo lleno de valores° maravillosos. *values*

Cuando yo era adolescente no nos llevábamos° tan bien. Ahora que soy una mujer madura puedo entenderla mejor y gozar° a mi mamá, que es una mujer de personalidad muy fuerte. Pero tú ya lo sabes. *we didn't get along/enjoy*

GD Sí, hace años que conozco a tu mamá. Incluso me acuerdo de ti a los siete años, una niña bonita que gritaba mucho. Pero, hablando en términos generales, ¿crees que la relación entre madre e hija es siempre más difícil que entre madre e hijo?

"¡Nadie es malo malo solamente!"

SA Sí, de acuerdo. Al menos mi experiencia ha sido ésa.

GD Tú tienes tus propios hijos, ¿verdad?

SA Sí, tengo dos hijos sensacionales: Tatiana y Julián.

GD Pues dime, ¿qué es más difícil, ser buena madre o ser buena hija?

SA Yo diría que hacer cualquier cosa es difícil; ser buena madre, buena hija, buena amante°, buena amiga, buena ciudadana°, etc. Es algo que uno anhela°. Yo lo resumiría diciendo que uno debe luchar por ser un **buen ser humano**°. Tengo una magnífica relación con mis hijos porque no ha sido basada en el poder° sino en la amistad. *lover/citizen* *desires* *human being* *power*

GD Seguramente eres una magnífica madre; pero me sorprende que no hayas mencionado la dificultad de ser una buena actriz. Y sin embargo ésta es tu profesión desde hace muchos años....

SA Desde los siete años, cuando tú me conociste. Soy pionera de la televisión mexicana y aparecí en el primer programa de televisión en 1950.

GD ¿Tu mamá te enseñó mucho con respecto a tu profesión?

SA Sí, como mi mamá era directora de televisión, muchas veces los actores venían a ensayar° a casa y yo escuchaba lo que mi mamá les decía.... *rehearse*

GD Entonces quizás puedes decirnos algunos de tus secretos profesionales. Por ejemplo, ¿cuál es tu procedimiento para entrenarte° en la preparación de un papel° nuevo, digamos de un personaje° completamente distinto a ti? *train yourself* *role/character*

SA Bueno, la primera impresión que tienes de una persona o de un personaje es muy importante. Cuando leo una obra de teatro por primera vez soy como un espectador que no sabe lo que va a ver. Guardo° en mi memoria esa primera impresión que después puede modificarse con respecto al análisis que se haga de la obra, porque va a servir como de plataforma para ir añadiendo° más información sobre el personaje e ir convirtiéndolo en alguien real. *I keep* *adding*

GD ¿Serías capaz de desempeñar° el papel de una prostituta, de una ladrona°, de una asesina? ¿Te fijas mucho en los transeúntes° en la calle para estudiar sus gestos°, sus voces? *to play (here)* *thief/passers-by* *gestures*

SA Naturalmente, sí. El actor debe ser una persona observadora y preocupada° por los otros seres humanos ya que es a ellos a quienes va a representar. El actor debe estudiar al ser humano no sólo exteriormente sino también emocional e intelectualmente. Por tanto debe entrenar tanto su cuerpo con danza, canto, acrobacia, etc., como su intelecto° (es decir, leer novelas, poesía, historia, sociología), sus sentidos° (música, pintura) y sus emociones (con el estudio de la psicología).

concerned

entrenar... *train his body as well as his mind/ senses*

GD Bueno, vamos a ser un poco menos abstractos. Por ejemplo, ¿estarías dispuesta a desempeñar el papel de una prostituta?

SA Sí, podría hacerlo. Pero déjame decir una cosa primero. Creo que todos los seres humanos tenemos, dentro de nosotros, los mismos temores°, deseos, anhelos, etc. Nosotros, los actores, lo único° que hacemos es mostrar al ser humano, como si se viera en un espejo. Todas las mujeres tenemos algo de prostitutas (y los hombres, también), y de inocentes. Todos deseamos la seguridad y la bondad°. Yo lo único que hago es mostrar la parte de maldad°, por ejemplo en las villanas°, que todas también la tenemos pero que hemos sido educadas para no mostrar. Pero no sólo muestro la maldad sino que trato de darle al personaje razones para su maldad y momentos de debilidad y ternura° que también debe seguramente tener. ¡Nadie es malo malo solamente! Si yo tuviera que hacer una prostituta, trataría de hablar con ellas y conocer el mundo de la prostitución y sus leyes, su lenguaje, sus claves°, símbolos y señales.

fears/the only thing

goodness

evil

villains

tenderness

codes

GD Entonces ¿tú no crees que para ser una buena actriz trágica, por ejemplo, hay que sufrir mucho en la vida primero para actuar después en una manera convincente?

SA Te contestaría diciendo que toda vivencia° les debería servir a los seres humanos para comprender mejor a sus semejantes°. La muerte de mi padre me hace poder comprender la soledad° en que se pueden encontrar otros seres cuando pierden a alguien que amaban. También los momentos felices se quedan en la "memoria emocional" para poder repetirlos y volver a revivir momentos parecidos° o poder dar felicidad a otros. Y creo que cuanto más comprende al ser humano un actor, mejor podrá representarlo°. Yo no habré° sufrido una guerra o hambre o persecución, pero trato de ponerme en el lugar de los otros y escucho a los que desgraciadamente° sí han pasado por momentos así; leo, veo fotografías, noticieros°, testimonios vivos° de un momento colectivo para después individualizarlo y comunicarlo a través de un personaje.

life experience

fellow human beings/loneliness

similar

cuanto... *the better an actor understands human beings the better he portrays them/I may not have/unfortunately/news reports/first-hand accounts/ playwright/ frightens*

GD Entonces das tu propia interpretación al texto del dramaturgo°. Me pregunto si eso te ayudaría a memorizar tus papeles. Yo sé que hay muchos estudiantes que quisieran ser actores pero les asusta° la necesidad de aprender de memoria tantas frases, tantas palabras.

SA Pues yo no memorizo palabras sino conceptos. Si se me olvida una línea, invento otra que exprese lo mismo pero con otras palabras, y si no recuerdo siquiera° la idea, pues busco la manera de hacerle comprender a mi compañero° que no sé continuar y él o ella me ayudará a salir de ese momento. Cuando es un espectáculo unipersonal° y no tengo a nadie para sacarme del aprieto°, pues me he dicho a mí misma que no debo desesperar, que no es el fin del mundo y que en todo caso puedo pedirle al traspunte° que me preste° el libreto para leer lo que se me había olvidado. En verdad ya no pienso que se me puede olvidar una línea porque eso me crea más inseguridad. Me aprendo bien mis textos y si siento que no domino alguno, pues lo repito y repito hasta hacerlo mío. ¡No tengo pesadillas° con los parlamentos que se me olvidan, sino que lo que no recuerdo es la obra entera! Suelo soñar que vamos a reponer una obra y que los demás presuponen° que yo recuerdo, ya que° la he hecho antes. ¡Mi pesadilla comienza por no recordar nada de la obra y desesperarme porque no tengo el vestuario° de la misma!

even / to make my fellow actor understand / one-man show / to get me out of the fix / prompter / that he lend / nightmares / assume / since / wardrobe

GD Por supuesto no tienes estas pesadillas cuando actúas en la tele°.... *TV*

SA No, pero cada medio de comunicación tiene sus problemas, su propia técnica de actuación.

GD ¿Y cuál prefieres?

SA Bueno, yo prefiero el teatro por el contacto directo que se tiene con el público, pero también amo la televisión por la difusión masiva que da al trabajo de uno.

GD ¿Crees que una buena actriz en el cine o la televisión tiene que ser primero buena actriz del teatro?

SA Pues hay actores de cine y de televisión que jamás han actuado en teatro, pero sigo creyendo que el teatro forma integralmente al actor.

GD ¿Hay mucho teatro ahora en México?

SA Sí, mucho. El teatro en México está desde hace varios años en auge°. Se abren nuevos espacios, nuevos teatros; las instituciones educativas y gubernamentales, así como las empresas° privadas, ofrecen al público de la ciudad de México una gama° de posibilidades. Hay más de cuarenta teatros que están constantemente estrenando° obras de todos los géneros° y tanto de dramaturgos nacionales como internacionales.

in vogue / enterprises / range / premiering / kinds

GD Hablando de obras internacionales, ¿te gustaría ir a Hollywood para trabajar en una película norteamericana?

SA No, no tengo esa "fantasía". Soy muy feliz de poder trabajar en mi país y servir con mi quehacer° teatral a mi comunidad. *task*

GD Donde ya tienes bastante fama. ¿Esta fama te gusta o te molesta?

SA Como sabes, siempre hablo francamente. La fama es un reconocimiento° del público al trabajo de uno y yo creo que eso no puede molestar. ¿No es verdad? *recognition*

Ejercicios

VOCABULARIO: *Utiliza uno de los verbos siguientes en la forma apropiada en las frases siguientes:*

referirse	sorprender
entrenarse	llevarse
desempeñar	asustar
gozar de	sacar

1. Yo _______ mi trabajo en el teatro porque es tan interesante.
2. A veces yo _______ a mi padre en la novela.
3. ¿Te _______ mucho para participar en los juegos olímpicos?
4. Muchas veces ella _______ el papel de una mujer mala.
5. ¿Quién te _______ del aprieto cuando se te olvida una palabra?
6. Sus padres siempre _______ muy bien. Por eso me _______ que se hayan divorciado.
7. A ella no le _______ la idea de olvidar sus líneas.

Preguntas

1. ¿Cómo se puede caracterizar la relación entre Susana y Brígida Alexander?
2. ¿Cuándo empezó a ser actriz Susana?
3. ¿Cuál es su procedimiento para aprender sus papeles?
4. ¿Qué has aprendido acerca de la educación de una actriz al leer esta entrevista?
5. ¿Por qué te gusta (o no te gusta) la personalidad de Susana?

Opiniones

1. ¿Te interesaría ser actor o actriz? ¿Cuáles serían las ventajas y las desventajas de esta carrera? ¿Qué clase de papel te gustaría más?
2. ¿Os lleváis bien tú y tu mamá? (¿tú y tu papá?) ¿Con cuál de los dos te llevas mejor?
3. ¿Tú crees que entenderás mejor a tus hijos que lo que tus padres te entienden? ¿Estás de acuerdo en que todos tenemos una parte de maldad?
4. ¿Cuál de las dos te gusta más, Susana o Brígida Alexander? ¿Por qué?

"El problema de la creación se resuelve con el acto mismo de la creación, escribiendo, trabajando."

Elena Poniatowska: De periodista a escritora de cuentos y novelas

Elena Poniatowska nació en París en 1933, de madre mexicana y padre polaco, vino a México a fines de la segunda guerra mundial, y desde entonces quedó totalmente integrada a la sociedad y la vida literaria de México. Rubia, de ojos azules, de rostro° agradable, es observadora perspicaz y sensitiva de todo lo que la rodea, pero lo hace sin que nos demos cuenta° al principio de que estamos frente a un ser° excepcional, debido quizá a su modestia y su capacidad para la autocrítica.

face

sin... *without our realizing/human being*

Poniatowska es una de las más importantes escritoras y periodistas en México hoy día. Es muy bien conocida por su uso de la novela testimonial, una novela basada sobre sus entrevistas con el personaje principal. Su *Hasta no verte Jesús mío* es un buen ejemplo de este tipo de novela. Otro ejemplo, y el que la hizo más famosa, es *La noche de Tlatelolco* donde Poniatowska, como buena periodista, trata de reunir° todos los hechos relacionados con la matanza° de muchos estudiantes mexicanos durante el régimen del Presidente Díaz Ordaz. Esta matanza, en la que la escritora perdió a su hijo, matado por los ametralladores° del ejército mexicano, ocurrió en octubre de 1968, poco antes de los Juegos Olímpicos de aquel año. No pudo publicar su relato hasta la administración siguiente, del Presidente Luis Echeverría (1970-76). Como en su primera novela, aquí también Poniatowska es la campeona de los pobres y oprimidos° de su país. Es una mujer sumamente valiente, y bien conocida por sus sentimientos feministas, tanto en el periodismo como en la ficción. La pequeña muestra° de la obra de Poniatowska que incluimos en este libro, "El recado", viene de su colección de cuentos titulada *De noche vienes*, publicada en 1985.

gather together

slaughter

machine gunners

oppressed

sample

MANUEL DURAN Mi pregunta inicial es muy sencilla°. Quisiera saber cómo despertó tu vocación de escritora. Quizá algo en tu infancia, algún hecho°, algún incidente....

simple / *event*

ELENA PONIATOWSKA No recuerdo que de niña haya querido ser escritora. Sí recuerdo, en cambio, que hacía dibujos° de personajes°, hombres y mujeres, y sentía que eran feos; por eso les inventaba nombres, y procuraba que los nombres fueran también feos, y me decía que cuando los hiciera bonitos les daría nombres bonitos. Me preocupaba el destino de estos personajes, y también el mío. Tenía terror a sacar malas notas°, a "tronar"° en mi escuela: la peor tragedia, no pasar de año o tener malas calificaciones°. Vivía como un ser horriblemente inseguro, muerta de miedo ante un abuelo autoritario que me daba clases de matemáticas y gramática. El mundo era cruel y terrible, pero podía mejorar; nació mi afán° de perfeccionismo. De lo más feo había que pasar a lo más hermoso.

sketches/characters / *get low grades/to flunk/grades* / *zeal*

MD Quizá este deseo de perfección te llevó a ver en la literatura un espejo° de la sociedad que nos revela los aspectos negativos y sombríos° pero también indica posibilidades de mejorar las cosas. La novela testimonial, tal como tú la practicas, nace siempre de los hechos concretos, de tu actividad como periodista que investiga la vida social y las vidas individuales. Pero siempre se pueden sacar conclusiones al final, siempre en las últimas páginas encontramos que podemos y debemos cambiar algo en nosotros y en la sociedad que nos rodea°. Me pregunto ahora, ¿dónde y cómo escribes tus artículos, tus cuentos, tus novelas? ¿Cuál es tu técnica?

mirror/dark / *surrounds*

EP Escribo aquí, en esta casa, en un cuartito que tiene una mesa y una ventana que da a° la pequeña plaza con su iglesia, su campanario°, el cielo, las nubes. Escribo temprano por la mañana. Pero todo es muy difícil. Empleo las técnicas del periodismo, hago investigación, tomo notas, me informo acerca de detalles concretos. Al mismo tiempo hay algo que va madurando° en mi mente acerca de los personajes; trato de entenderlos, de identificarme con ellos, de vivir como ellos viven, de pensar como piensan. Pasar del periodismo a la creación literaria no es fácil, sobre todo cuando sigo siendo periodista y además ama de casa°, esposa y madre. Mucha gente no se da cuenta de que mi trabajo es importante, al contrario, creen que es un pasatiempo°. Una mujer que escribe tiene que seguir justificándose, incluso encontrar excusas para seguir escribiendo. Un hombre no. La sociedad espera de nosotras muchas cosas a la vez°, pero la prioridad para la mujer pocas veces es escribir. Tenemos que luchar continuamente para que alguien nos lea y nos haga caso°.

overlooks/bell tower / *maturing, ripening* / *housewife* / *hobby* / *at the same time* / *pay attention*

MD Tus libros, reportajes, cuentos, novelas, cada día son más leídos y admirados. No creo que tengas que justificar tu trabajo. No sé, por otra parte, si la práctica hace más fácil el trabajo del escritor, a veces° pasa al revés°, es más fácil al principio porque uno no se da cuenta de todas las dificultades, todos los problemas que hay que resolver para escribir un buen libro.

sometimes
the opposite way

EP Escribir un buen libro es precisamente lo que yo quiero hacer, y es una de las cosas más difíciles de lograr°. Entre todos los miles de palabras que existen hay que encontrar las palabras exactas. Con ellas rodear y por fin revelar una verdad esencial. Pero lo esencial con frecuencia es invisible. Si nos acercamos a lo esencial a través de anécdotas, pero no llegamos a lo esencial y nos quedamos° solamente con las anécdotas, hemos fracasado°, aunque el libro tenga mucho éxito° al principio. No es un libro de éxito lo que quiero escribir. Un libro así ya lo he hecho. Por ejemplo, *La noche de Tlatelolco* ya lleva 48 ediciones, y se han vendido doscientos treinta mil ejemplares°. Ahora quiero escribir un libro que aclare algo sobre mí misma, sobre mi modo de ser y mi modo de ver el mundo, con rigor y madurez, con una frialdad° al mismo tiempo intensa y objetiva.

achieve
we remain
failed/success
copies
coolness

MD Se ha dicho que si un escritor sabe para quién escribe, sabe también cómo debe escribir.

EP Esto es cierto, pero no resuelve el problema. Hay países en que es relativamente fácil para el escritor llegar a conocer° a su público. En Latinoamérica no es tan fácil. El público es minoritario, y los escritores también. Son dos minorías que tratan de ponerse en contacto, rodeadas por necesidades concretas y problemas económicos urgentes. En México de setenta y seis millones de habitantes quizá setenta mil se interesan por la literatura. Los que más leen son los estudiantes, pero sus vidas están llenas de distracciones y de frustraciones. En la Universidad Nacional Autónoma de México hay ochenta y ocho mil estudiantes, pero muchos de ellos no leen literatura. Habría que hacer una encuesta° y llegar a saber qué es lo que leen estos estudiantes, pero me temo° que esta encuesta daría resultados desoladores°. Hay otra cosa: a veces lo que el público espera de un escritor no es exactamente lo que este escritor está dispuesto° a ofrecerle. Muchos lectores de novelas hispanoamericanas esperan y desean, conscientemente o no, que los escritores se conviertan todos en

get to know

> *"Entre todos los miles de palabras que existen hay que encontrar las palabras exactas."*

survey
fear
dismal
prepared to

seguidores° de Gabriel García Márquez[1] y que, como en *Cien años de soledad*, les den una mezcla° de realidad y fantasía. Esto puede convenir° a unos escritores y a otros no. Lo que yo quise hacer en *La noche de Tlatelolco* no fue esa mezcla de realidad y fantasía, sino más bien un *collage* de muchos aspectos de la realidad que la prensa° no quería revelar. Fragmentos de conversaciones, graffiti, canciones, dichos° populares, noticias° del periódico contrastadas con la realidad observada. En cierto modo me inspiró el cine, el movimiento de la cámara, los primeros planos°, las vistas panorámicas. Quería manejar el lenguaje como se maneja una cámara y creo que en buena parte lo conseguí°. La novela daba el testimonio directo visto por centenares° de experiencias diferentes pero que mostraban entre todas la verdad de lo sucedido°. Era una novela con cientos de personajes. En otra obra mía, *Hasta no verte Jesús mío*, traté de hacer algo muy distinto, quizás lo opuesto: verlo todo a través de los ojos de un solo personaje, una mujer inolvidable que existe realmente y que llevaba dentro la experiencia de una vida muy intensa y variada. Llevaba dentro una novela, y yo traté de escribir esta novela, hacer que esta mujer pudiera expresarse por medio de mi pluma. En cada una de estas novelas he tratado de partir de una base sólida y verdadera, y de avanzar luego hacia la expresión literaria. Dar el paso° del periodismo a la literatura es una experiencia aterradora°. Es como saltar° sobre un precipicio, sobre un abismo°. No hay nada que nos sostenga y nunca sabemos si podremos llegar hasta la otra orilla°. Cuando escribo un artículo periodístico siempre sé qué es lo que tengo que hacer y a dónde quiero llegar. Trabajo rápidamente, y la recompensa es también inmediata: al día siguiente mi texto aparece impreso° en el periódico. Pero escribir una novela es un trabajo muy diferente, lleno de dificultades, y sobre todo lento° y solitario. Hay una constante pregunta: ¿hacia dónde me lleva cada página, cómo será el final de la novela, cuál será el resultado de la misma? Y nadie me ayuda a resolver estos problemas. Al contrario, la vida de una mujer casada y con hijos es quizá la más llena de complicaciones y dificultades para quien quiera escribir novelas. Por eso creo muchas veces que es más fácil que una mujer sea escritora si es monja, como Sor Juana Inés de la Cruz,[2] o divorciada, como Rosario Castellanos[3]...pero quejarse° no sirve de nada. El problema de la creación se

followers
mixture
to suit
the press
sayings/news
close-ups
I achieved it/ hundreds
what happened
to take the step
frightening, terrifying/to leap/ abyss/shore
printed
slow
to complain

[1] García Márquez (1928-), famous Colombian novelist who wrote *Cien años de soledad* (1967), *El otoño del patriarca* (1975), and *El amor en los tiempos del cólera* (1985). He received the Nobel Prize for Literature in 1982.

[2] Sor Juana Inés de la Cruz (1651-1695), a nun who wrote plays, poems and essays, and who is considered one of the greatest writers of Mexican literature.

[3] Castellanos, Mexican essayist, poet, novelist and ambassador who died in 1974.

resuelve con el acto mismo de la creación, escribiendo, trabajando. Esto es lo que estoy tratando de hacer.

Ejercicios

VOCABULARIO: *Busca un sinónimo (o palabra relacionada) en la segunda columna.*

contrario	calificaciones
notas	cara
afán	simultáneamente
sencillo	entender
a la vez	conseguir
darse cuenta	tronar
rostro	deseo
lograr	opuesto
fracasar	simple

VERBOS: *Cambia la forma del verbo si es necesario.*

Ejemplo: De niña ha querido ser escritora.
No recuerdo que *de niña haya querido ser escritora.*

1. Los nombres que di a mis personajes eran feos.
   Procuraba que ______________________________.
2. Cuando los hacía bonitos, les daba nombres bonitos.
   Me prometía que ______________________________.
3. Creo que hay personas que me leen y que me hacen caso.
   Tengo que luchar para que ______________________________.
4. Pues tú tienes que justificar tu trabajo.
   Dudo mucho que ______________________________.
5. Hoy día todos los escritores se convierten en seguidores de Gabriel García Márquez.
   Muchos lectores esperan que ______________________________.

Preguntas

¿VERDADERO O FALSO?

1. La autora cuando era niña ya quería ser escritora.
2. Le gustaba hacer dibujos de personajes.

3. Le preocupaba el destino de esos personajes.
4. No temía sacar malas notas.
5. Quería pasar de lo más hermoso a lo más feo.
6. La novela testimonial nace de la fantasía del escritor.
7. La autora escribe siempre por la tarde.
8. La creación literaria no es fácil para una ama de casa.
9. La prioridad para la mujer es escribir.
10. Para escribir un buen libro hay que encontrar las palabras exactas.
11. Lo esencial con frecuencia es invisible.
12. *La noche de Tlatelolco* se ha vendido muy poco.
13. En Latinoamérica no es fácil para el escritor llegar a conocer a su público.
14. En México setenta y seis millones de habitantes se interesan por la literatura.
15. *Cien años de soledad* es una mezcla de realidad y fantasía.
16. Un artículo periodístico recibe una recompensa inmediata.
17. No es fácil que una mujer escriba si es monja o divorciada.

Conversación

1. Hablemos de los recuerdos de tu niñez. ¿Te daba clases algún pariente? ¿Quién era? ¿Te enseñaba a leer? ¿a portarte *(behave)* bien? ¿a tocar algún instrumento musical? En la escuela primaria, ¿tenías terror a sacar malas notas? ¿Todavía lo tienes? ¿Qué haces para evitar este terror?
2. Si tú escribieras una novela testimonial, ¿a quién escogerías para entrevistar: 1. un asesino; 2. un dictador desterrado; 3. alguien que sacó el primer premio de una lotería; o 4. una estrella de cine? Explica por qué has elegido a esta persona. ¿O, quizás, escogerías a alguien completamente distinto? ¿Quién sería?
3. ¿Cómo se distingue la novela testimonial de la biografía? ¿Cuál prefieres leer?
4. ¿Estás de acuerdo con Elena Poniatowska cuando dice que es más difícil para una mujer ser escritor que para un hombre? Explica.
5. ¿Cuál te parece más difícil de escribir, la novela testimonial o la novela fantástica? ¿Cuál prefieres como lector? ¿Puedes pensar en una novela fantástica que te haya gustado?
6. ¿Cuántos estudiantes hay en tu universidad? ¿Qué porcentaje, crees, leen literatura por el gusto de leer? ¿A ti te gusta leer novelas o cuentos? Explica tus razones.

Composición

Haz una entrevista a otro estudiante (o profesor) de la universidad y escribe una pequeña biografía de esta persona sin decirnos quién es.

"En el fondo soy un hombre fiel y de pocas mujeres."

Carlos Fuentes habla de su juventud, del dinero, y del amor.

Sin duda, Carlos Fuentes es una de las grandes figuras de la literatura hispanoamericana. Novelista, cuentista, ensayista, crítico literario y social, Fuentes es casi tan bien conocido fuera de México como en su propio país. Siguiendo la tradición de otros escritores latinos, también ha sido diplomático; fue embajador de México en Francia durante varios años. En los Estados Unidos leemos artículos escritos por Fuentes que aparecen en nuestros periódicos más prestigiosos, tales como el *New York Times*, escuchamos su voz y lo vemos en programas de televisión donde le hacen entrevistas sobre problemas mundiales. Durante los últimos años también ha dado conferencias° o dictado cursos° en las mejores universidades de los Estados Unidos: Princeton, Harvard y Cornell, entre otras. *lectures/taught courses*

Casi todas las novelas de Fuentes han sido traducidas a muchos idomas, y naturalmente al inglés, pero daremos sus títulos en español: *La región más transparente* (1958); *Las buenas conciencias* (1959); *Aura* (1962); *La muerte de Artemio Cruz* (1962); *Zona sagrada* (1967); *Cambio de piel* (1967); *Terra nostra* (1975); *La cabeza de la hidra* (1978); *Una familia lejana* (1980) y *Gringo viejo* (1985). Entre sus colecciones de cuentos las más conocidas son *Cantar de ciegos* (1964) y *Agua quemada* (1981). También podríamos dar los títulos de obras de teatro escritas por Fuentes y de libros de ensayos, pero nunca acabaríamos.

Hombre de mil caras, Fuentes se interesa por todo y parece haberlo leído todo. Por regla general sus novelas son una mezcla° de realismo y fantasía que abarcan° temas tales como la reencarnación, la posibilidad de que una persona sea muchas personas y el carácter casi mágico de la mujer que él ve como bruja° o encantadora°. Sus cuentos, sin embargo, son generalmente más tradicionales y, frecuentemente, se apoyan° en las experiencias de su vida juvenil que él menciona en la entrevista que sigue. Esta entrevista, una de las mejores que se han hecho jamás con Fuentes, fue llevada a cabo° por el periodista Jimmy Fortson, cuando Fuentes vivía en París.

mixture / *include* / *witch/sorceress* / *are based on* / *carried out*

Esta entrevista, tal como aparece, es abreviada e incluye solamente una pequeña parte de una entrevista que duró cinco horas.

JIMMY FORTSON ¿Podemos hablar aquí de tu vida privada?

CARLOS FUENTES Por supuesto°. Que empiece el *strip tease.* *of course*

JF ¿Tú vienes de una familia burguesa°... *bourgeois*

CF Sí, por supuesto, sí.

JF ¿Por qué *por supuesto*?

CF Sí, porque es casi imposible ser escritor si no se tiene un origen burgués o de clase media en México, ¿verdad? El escritor es escritor porque ha leído libros, porque está en contacto con una cultura literaria, y para estarlo necesita haber pasado por las universidades y haber tenido los medios° para adquirir esta cultura, y éste es un caso hasta ahora casi universal en el mundo de occidente, ¿verdad? *means*

JF ¿Tu padre fue siempre diplomático?

CF Fue diplomático de carrera°. *career*

JF ¿Y aquello te llevó a residir en los Estados Unidos, en Europa y en muchas partes?

CF En muchas partes, sí. En América del Sur, en Chile, en Brasil, en Argentina, en Uruguay.

JF ¿Qué importancia tuvo en tu formación como escritor el hecho° de haber vivido en diferentes países, de haber aprendido diferentes lenguas...? *fact*

CF Enorme, enorme. Yo esto se lo debo a mis padres, ¿no? y siempre se lo agradeceré°. Pude aprender idiomas, estar en contacto con muchas culturas, crecer° con niños de muchas naciones, colores y posiciones. Pero mi madre mantuvo en mí un sentimiento muy agudo° de la nacionalidad, ¿ves? Además yo vivía en los Estados Unidos cuando Cárdenas[1] era presidente y tuvo lugar la expropiación petrolera. Era una experiencia muy particular° para un niño mexicano que en tu escuela no te hablen, no te dirijan la palabra°, te insulten, te peguen° porque perteneces a *that damn country, Mexico, that damn red president Cárdenas, who stole our oil wells* y todo esto... Recuerdo que mi padre me llevó, cuando yo tenía nueve años, a ver una película sobre "la independencia" de Texas, que se llamaba *Man of Conquest*, con Richard *I will be grateful* *to grow up* *sharp* *special* *speak/hit*

---

[1] Lázaro Cárdenas, President of Mexico (1934-40), expropriated foreign oil companies in 1938.

Dix, en el papel de Sam Houston, y entonces, en el momento del Alamo, yo me levanté, me trepé al asiento° y grité: "¡Viva México, mueran los gringos!" Mi papá me sacó rápidamente del cine. Pero el hecho apareció en la prensa norteamericana. Por allí° tengo todavía el recorte°.

I climbed on the seat
somewhere around/clipping

JF ¿Por qué razón seguiste la carrera de leyes°?

law

CF Mira, porque yo quería ser escritor desde niño, pero cuando yo era un adolescente, pues ser escritor en un país como México no ofrecía demasiadas perspectivas. En principio no sentía inclinación hacia el derecho°, pero esto coincidió con un momento de mi vida en que yo me había convertido en un parrandero siniestro°, me pasaba las noches recorriendo la ciudad de México como un vampiro, me encantaba la vida nocturna de la ciudad, los burdeles°, los cabarets, los lugares mágicos. El hecho es que a los dieciocho años no estaba dando golpe°, ¿verdad? Llegó un momento en que mi padre me dijo: "Si tú quieres seguir tu vida de crápula°, gánatela°, porque aquí no vas a recibir un centavo." Tuve que pedir chamba° en *Hoy* y en *Novedades*,[2] y luego decidí irme a Europa. Vine a Ginebra°, estuve trabajando en la delegación mexicana ante la Organización Internacional del Trabajo y estudiando derecho internacional; pero no pude tragar° el derecho mercantil y no me recibí° porque ante el segundo curso de mercantil renuncié°.

law
terrible playboy
brothels
I wasn't getting anywhere
drunkenness/you can pay your own way/job (Mexico)/Geneva (Switzerland)/ swallow/ graduate
dropped out

JF Cuando abandonaste la carrera, ¿qué fue lo que hiciste para sobrevivir°?

survive

CF Oye, sobreviven los náufragos°. No era mi caso.

shipwrecked people/ fully

JF ¿Cuándo te dedicaste, de lleno°, a la actividad literaria?

CF Mira, me dediqué casi totalmente desde el momento de la aparición de *La región más transparente*,[3] que fue una novela, como sabes, de mucho éxito inmediato.

JF ¿A cuánto ascienden tus ingresos° anuales?

CF Mira, son aleatorios°, porque además de las regalías° que son bastante constantes, yo escribo, por ejemplo, un artículo sobre Luis Buñuel,[4] un largo artículo que escribí para el *New York Times* hace poco, y a lo largo° del año me va rindiendo° mucho, porque se va traduciendo y reproduciendo en muchos periódicos del mundo. *Playboy* acaba de comprarme dos cuentos, "Vieja moralidad" y "Un alma pura," a dos mil dólares cada uno. Hay muchísimas posibilidades para un escritor. Por esto te sigo la corriente° y te hablo de estas cosas tan aburri-

A... *How much do you earn/uneven/ royalties*
in the course of/ earning (here)
I am going along with you

2 newspapers in Mexico City
3 Translated as *Where the Air is Clear;* published in 1958.
4 Buñuel (1900-1985), Spanish surrealist and movie director.

das. Me anima° el deseo de animar a los escritores jóvenes de mi país. *I'm encouraged*

JF ¿Qué significa el dinero para ti?

CF El dinero significa la posibilidad de hacer la vida que me place° y de sentarme a escribir con cierta libertad, sin tener que ponchar° a las ocho de la mañana en la Secretaría de Hacienda° y soportar° a un jefe pendejo°; cosas de ese tipo, ¿no? *that I like* / *(anglicism) punch a time clock/ Ministry of Finance/tolerate/ coward (vulgar)*

JF ¿Te gustaría ser millonario?

CF No, no, no, no.

JF ¿Por qué no?

CF Porque no volvería a escribir, que es lo que más me interesa. No se puede ser, a la vez, escritor y millonario. Me dedicaría a tener gordas°, y yates°, y andar por ahí en el Mediterráneo, pero viviría como una momia°. Otra cosa que yo aprendí de mi padre: que se podía vivir muy bien con poco dinero. Yo no gano mucho dinero. *slang "broads"* / *yachts* / *mummy, "nerd"*

JF Si en realidad el dinero no tiene mayor importancia para ti, dime, por curiosidad, ¿por qué entonces me cobraste° mil dólares por la entrevista? Te aseguro que yo he entrevistado a mucha gente importante, y ésta es la primera vez que pago por ello.... *you charged me*

CF Porque yo soy el que hago el trabajo. Más que tú. Yo soy el que está trabajando aquí, no tú.

JF Y, ¿qué te hace pensar que es fácil y descansado° entrevistar a Carlos Fuentes? *relaxing*

CF Trata de entrevistar gratis a Norman Mailer. Inténtalo. Ya pasó la época en la que el periodista explotaba impunemente° al escritor. Me pones a trabajar aquí. Llevo° cinco horas como si estuviera sentado a la máquina. ¿Por qué te lo voy a dar gratis°? *with impunity* / *I've been working* / *free*

JF Carlos, ¿cuál es tu concepto del amor?

CF Mmmm... Te voy a decir primero lo que no es el amor. El donjuanismo[5] no es el amor. Porque, como° lo he practicado, sé que no es eso, ¿no? Hay un momento en el que te das cuenta de que darle el mismo valor a todas las mujeres es no darles valor alguno°. En el fondo° soy un hombre fiel y de pocas mujeres. En realidad sólo ha habido dos mujeres en mi vida. Son las que no se parecen a ninguna otra mujer, las que tienen su valor único°. Amar a todas es no amar a ninguna. Pero, claro, amas a muy pocas mujeres porque en realidad odias° a muchas mujeres, odias a la gran mayoría. Estás luchando contra las mujeres; son muy fuertes la cabronas°, ¿no?, el asunto es muy duro. Entonces tú quieres afirmarte — ésta es una actitud de chovinis- *since* / *any* / *at heart* / *unique* / *you hate* / *vulgar slang*

---

[5] Male attitude toward women that implies constant seductions. Don Juan is a famous character in plays by Tirso de Molina (1584-1648) and José Zorrilla (1817-1889).

mo masculino, estoy de acuerdo, pero tú quieres, en cierto modo, decir: "Yo existo y yo voy a existir siempre a pesar de ser hijo de mujer." Porque la mujer tiene un poder° diabólico de darte tu vida. Y tú te rebelas contra eso y dices: "Yo quiero ser inmortal por mí mismo, no porque desciendo de mujer, y a la mujer la odio porque ella ya es inmortal, porque significa la perpetuación de la especie." *power*

Entonces estás en rebelión contra las mujeres, contra las ideologías y contra las religiones, porque todos pretenden representar una inmortalidad. Tú te sientes muy débil° frente a todo eso y quieres afirmar tu propia inmortalidad. Fracasas°, porque sólo la reafirmas, nuevamente, con otra mujer. O con otra religión. O con otra ideología. Pues las religiones y las ideologías son sustitutos de la inmortalidad. *weak* / *you fail*

JF Carlos, tú dices que amar a muchas mujeres es no darles valor alguno. ¿No te parece que ello más bien implica el no darte valor a ti mismo como hombre?

CF Cómo no°, se puede responder así. Los mexicanos, al negar° a las mujeres, nos negamos a nosotros mismos. ¿Cómo se dividen entre sí° los mexicanos? Pues cada uno se considera a sí mismo un gran chingón° y a su mamacita una virgen; todos los demás son hijos de la chingada°. Así vemos a los demás°, pero así nos ven los demás a nosotros. Además, la figura de Don Juan es eso, es un hombre que acaba negando su propio valor, ¿verdad? *of course/in negating/among themselves* / *seducer (vulgar)* / *vulgar insult/other people*

JF ¿Cuándo cobraste conciencia° del concepto que has emitido acerca del donjuanismo? *became aware*

CF Ahora que vivo con Silvia. Porque no me hace falta° nada más. *I don't need*

JF Si ahora estás consciente de que has tenido fama de Don Juan, ¿alguna vez se te ocurrió pensar en cuáles eran las causas fundamentales de esa actitud tuya?

CF Indudablemente era una insuficiencia. Sentía insuficiencias que quería colmar°, ¿verdad? *to compensate for*

JF Dices que sólo ha habido dos mujeres importantes en tu vida, y estoy deduciendo que esas dos mujeres son Rita Macedo y Silvia Lemus, tu primera y segunda esposa.

CF Sí, sí.

JF Sin embargo, por casi todos es sabido el gran romance que sostuviste con Candice Bergen....

CF No, yo nunca tuve romance con Candice; eso es falso, completamente falso. En primer lugar, yo no voy a mencionar nombres, pero en ese caso particular, simplemente no es cierto. Ella es una amiga mía, una mujer muy guapa, una excelente actriz y además una periodista de primer orden, ¿sabías eso?

JF Sí... Bueno, resulta evidente que a la gente le encanta inventar chismes° acerca de otras gentes; sobre todo si éstas tienen fama o son importantes.... Esto constituye un deporte nacional en México.... *gossip*

CF No, mira, esas cosas, mientras las vives, no puedes contarlas, porque las destruyes verbalmente; no tiene sentido cambiar la realidad por las palabras en estos casos, ¿verdad? Una vez pasadas ciertas experiencias amatorias°, en todo caso las puedes trasponer° literariamente, que es lo que me interesa a mí. Pienso darle al Fondo de Cultura Económica[6] un libro de cuentos que es una transposición literaria de algunas experiencias con ciertas mujeres, pero totalmente convertidas en literatura. Y yo sé, porque ya casi termino el libro, que allí estoy diciendo lo que todo esto significa para mí, o la manera como yo puedo imaginarlo retrospectivamente y, en cierto modo, rescatarlo°, pero al mismo tiempo perderlo, porque lo convierto en literatura. Algo que será leído por los demás, pero que ya no puede ser vivido por mí. *love affairs/to translate* *to save it*

JF En esa medida° lo despersonalizas. *to that extent*

CF Sí, porque lo he personalizado totalmente al escribirlo. Entonces lo puedo proyectar fuera de mí.

JF ¿Qué significación tiene para ti una relación madura°, a nivel hombre/mujer, como la que actualmente vives con Silvia? *mature*

"No se puede ser, a la vez, escritor y millonario."

CF Significa para mí una cosa muy importante, porque yo, durante buena parte de mi vida, había tenido relaciones que dependían mucho de factores externos, que dependían mucho de un carácter teatral o representativo de la relación. Tú sabes, por ejemplo, que hay un circuito secreto establecido por algunas muy bellas actrices del cine europeo y norteamericano. Saben a quién buscar cuando llegan a filmar a un país extraño. Pues imagínate, yo fui en un tiempo uno de los elegidos° de esas diosas°, pero la relación era eso: efímera, teatral, el tiempo de una locación en Durango[7] o Morelos.[8] Ahora, con Silvia, lo que tengo es una relación cuya representación sucede° con el telón cerrado°. Es una relación totalmente personal, privada, al nivel de nuestra vida cotidiana° y me satisface mucho. He descubierto muchas zonas de lo cotidiano° con Silvia, que es una mujer esencial, sin espuma°, práctica y sensible. Sabemos vivir juntos y vivimos juntos el día entero. Estamos *chosen ones* *goddesses* *happens/curtain drawn* *everyday* *everyday things/ frills (here)*

[6] A prestigious publishing house founded in 1934 by the Mexican government as a semi-autonomous corporation. Publisher of some of the best contemporary Mexican poets and fiction writers.

[7] State in central Mexico.

[8] State in central Mexico.

en París trabajando juntos en un apartamento, nos hacemos el desayuno, llevamos la ropa a la lavandería°, salimos a comprar los periódicos, hacemos las tres comidas juntos. No hemos pasado un minuto separados desde que llegamos a Europa.

laundromat

JF Claro. Carlos, ¿qué fue lo que te hizo desear tener otro hijo?

CF Mira, yo asistí° a la muerte de mi padre, hace dos años. En el momento en que él murió, se transfiguró, adquirió una luz, su rostro° se afiló°, se hizo de cera y plata°, parecía un dibujo de Durero,[9] adquirió en la muerte una belleza muy especial mi padre. Y en ese mismo momento me dije que yo quería reencarnarlo, que yo quería volver a tenerlo, darle una vida, y no encontré más manera que ésta. En cierto modo es mi padre quien vuelve a nacer en el mes de agosto. Lo vi tan hermoso al morir, que esa luz que él proyectaba era casi una exigencia° de continuidad que yo sentí de una manera muy intensa.

I was present / *face* / *became sharper/ became silver and waxy* / *demand*

JF Me has dicho que tu hijo nacerá aquí, en París. Deduzco que el hecho de que nazca en Francia o en México o en cualquier otro país no tiene ninguna significación especial para ti.

CF No, no. Será mexicano de todas maneras, puesto que sus padres son mexicanos.

JF ¿Te gustaría que tu hijo fuera escritor?

CF No, no. Yo tuve muy buena educación en ese sentido. Mi padre no trató de imponerme° una carrera, un destino; me dio una enorme libertad que yo le agradezco mucho. De parte de mis padres yo tuve un increíble respeto hacia mi vocación, hacia mis preocupaciones; desde niño, siempre me respetaron mucho mi personalidad, y lo menos que puedo hacer es tener esa misma actitud hacia mis dos hijos, Cecilia y Carlos Rafael — al niño lo esperamos pronto — respeto hacia su libertad, sus decisiones, sus vocaciones.

dictate (to me)

Preguntas

SINONIMOS: *Aparea* (match) *las palabras de la columna izquierda con las de la columna derecha.*

bruja	especial
leyes	encantadora
particular	dirigir la palabra
trepar	subir
rescatar	salvar
hablar	derecho

[9] Albrecht Dürer (1471-1528), greatest German Renaissance engraver and painter.

Contesta estas preguntas brevemente, inspirándote en el texto de la entrevista.

1. Según Fuentes, ¿por qué es casi imposible ser escritor en México si uno no tiene un origen burgués?
2. ¿Qué carrera estudió Fuentes antes de decidirse a ser escritor?
3. ¿Por qué renunció a esta carrera?
4. En los Estados Unidos, ¿dónde ha publicado Fuentes sus artículos y cuentos?
5. ¿Por qué no le gustaría a Fuentes ser millonario?
6. ¿Por qué le cobra mil dólares a Fortson por la entrevista?
7. ¿Cuál es el poder de las mujeres que Fuentes envidia tanto?
8. Según Fuentes, ¿qué son las religiones y las ideologías?
9. Según Fuentes, ¿cuál es la actitud de los mexicanos frente a la mujer?
10. ¿Escribe Fuentes literatura acerca de sus experiencias amatorias mientras está viviéndolas? Explica tu respuesta.
11. ¿Cómo describe Fuentes su relación con varias actrices del cine europeo y norteamericano?
12. ¿Cómo describe su vida con Silvia, su esposa?
13. ¿Por qué deseó Fuentes tener otro hijo?

Opiniones y conversación

1. ¿Crees que es posible ser escritor en los Estados Unidos sin pertenecer a la clase media o alta? Explica tu respuesta.
2. ¿Crees que es positivo o negativo para el individuo tener un sentimiento muy agudo de la nacionalidad? Explica tu opinión.
3. ¿Te gustaría seguir una carrera de leyes? Explica tus razones.
4. ¿Qué opinas de la actitud del padre de Fuentes cuando se negó a darle más dinero?
5. ¿Qué significa el dinero para tí? ¿Te gustaría ser millonario? ¿Por qué?
6. ¿Qué opinas de la conversación entre Fuentes y Fortson acerca del precio que cobra Fuentes por la entrevista? ¿Qué nos revela esta conversación acerca del carácter de Fuentes y de Fortson?
7. ¿Qué opinas de la explicación de Fuentes acerca del donjuanismo? ¿Tienes tu propia explicación? Si eres mujer, ¿te atrae el tipo Don Juan? Si eres hombre, ¿te gustaría ser como Don Juan? ¿Crees que

una mujer también puede desempeñar el papel de Don Juan? ¿Qué podemos sospechar acerca de cualquier persona que actúe como Don Juan?

8. ¿Te gusta hablar o escribir de una experiencia amatoria mientras vives esa experiencia? ¿Por qué? o ¿por qué no?

II. Espejos

"El neomachismo es que antes obligábamos a la mujer a estar en casa. Ahora la obligamos a trabajar para nosotros."

Luis Carandell habla de la actitud española frente a la mujer

Nacido en Barcelona en 1926, cronista° de las Cortes[1] desde 1975 para Televisión Española y para muchos periódicos, Luis Carandell ha publicado varios libros, entre ellos *Vivir en Madrid*; *Los Españoles*; *Celtiberia Show*; *España*; y *El Show de sus Señorías.* *news commentator*

Carandell, hombre de diversos talentos, además de español, habla catalán, alemán, japonés e inglés, y es también experto en el arte del "jiujitsu", aprendido durante su estancia de tres años en el Japón como periodista° para una agencia de noticias. *reporter*

La siguiente entrevista fue llevada a cabo por la profesora Janet Moriarty de la Universidad de Connecticut que fue a España con un grupo de estudiantes de la Universidad con el propósito° de conocer a algunas de las personalidades de la vida española contemporánea. *purpose*

Este genial "neomachista" Luis Carandell (que así se describe a sí mismo) es, sin duda, una de las personas más conocidas y célebres de España. Estar sentada yo con él en un restaurante madrileño° en la terraza de un café del Paseo de la Castellana[2] fue una experiencia emocionante° porque todo el mundo quería mirar a esta personalidad de la TV. Una vez, en el Teatro Español, el famoso periodista, sentado al lado del pasillo°, fue asediado° por sus admiradores, todos pidiéndole su autógrafo. Mis estudiantes y yo no podíamos hacer más que mirar mientras nuestro amigo firmó° y charló° con la gente, sobre todo, los jóvenes. *pertaining to Madrid/exciting* *corridor* *besieged* *signed his name/chatted*

[1] Spanish House of Parliament.

[2] Avenue in downtown Madrid.

JANET MORIARTY Mi primera pregunta se refiere al lenguaje°, a la forma de hablar cotidiana° en la España de hoy. He oído decir que es un lenguaje sexista, que se expresa de una manera para hablar de los hombres y de otra manera para hablar de las mujeres. Hace poco te referías a tu secretaria, que no es ya tan joven, llamándola "chica". ¿Era una frase sexista?

language
everyday

LUIS CARANDELL Yo creo que en español el uso de las palabras "chico" y "chica", las dos, tiene un matiz° generacional. Por ejemplo, yo nunca llamaré "chica", ni tampoco "chico", a una persona, sea mujer u hombre, mayor que yo. En cambio llamaré "chico", y haré reír con esto a mi hija, a una persona de mi edad o de una edad algo inferior. Podré llegar a llamar "chico" al Presidente del Gobierno, "este chico" hace esto.... Pero eso tiene un matiz un poco humorístico, y de hecho° los socialistas han sido muy frecuentemente llamados en la prensa° "estos chicos", con ánimo de desacreditarles un poco.

nuance
actually
press

JM ¿Con quiénes utilizas la palabra "chica"?

LC La palabra "chica", yo la utilizaré, probablemente, con mujeres de mi generación, pero no tiene en absoluto un carácter despectivo°. Es una nota generacional.

disparaging

Desde luego que llamar "chica" a una chica es automáticamente sexista. Esta es una característica que tienen los idiomas latinos, que están mucho más especializados que los idiomas anglosajones en el sexo; se fijan° más en el sexo. Pero yo no tengo la impresión de que la palabra "chica" sea más despectiva o menos despectiva que lo que pueda ser la palabra "chico"; que según como se aplica puede ser despectiva y según como se aplica es cariñosa° o es afectuosa. En general existe en España como en todos los países un cierto deseo de rejuvenecimiento. Llamar "chica" a una mujer mayor puede ser un cumplido°, digámoslo así, puede ser una atención°, y llamar "chico" a un hombre que tiene ochenta años puede ser una atención, o una especie de broma° cariñosa. No me da la impresión de que esto tenga el valor sexista que a lo mejor le atribuyes tú por la experiencia americana.

they pay attention
loving
a compliment/ courtesy (here)
joke

Yo siempre llamaría a Raquel Martín-Delgado[3] "esta chica", nunca diría "esta señora". La palabra "mujer" en español tiene otra connotación distinta, tiene otro sonido° diferente. Yo creo que ahí hay una connotación de clase. Cuando se dice "una mujer", en el lenguaje corriente° se alude a un tipo social, a no ser que° se emplee en tono admirativo. Y por eso la palabra "chica" es más igualitaria que la de "mujer", en este momento. Puede llegar a ser° más cariñosa o más afectuosa la palabra "chica" que la palabra "mujer".

sound
current/unless
become

---

[3] Administrative assistant to Adolfo Suárez, former Prime Minister of Spain.

JM En la prensa española durante las campañas electorales yo veía preguntas para las mujeres distintas a las de los hombres. Por ejemplo: "¿Tienes novio?" Esto me parece tonto. Tus comentarios, por favor.

LC Lo que sí es cierto es que, en general, en nuestra relación con las mujeres, y esto es una cosa que creo que todos los hombres más o menos un poco reflexivos° hemos tenido que pensarlo, usamos un lenguaje distinto. Y por lo tanto también, en caso de preguntarles, para hacer una entrevista, o algo así, hacemos preguntas diferentes. El tono de nuestras preguntas es distinto. No nos dirigimos° al sexo femenino con la misma naturalidad con que hablamos con el sexo masculino. Aquí, por ejemplo, cuando tú dices: ¿Le preguntarías a un hombre, "tienes novia?" Pues podría preguntárselo, pero quizá todo el asunto° relacionado con el amor, con el sentimentalismo, se utiliza más y se tiene más propensión a utilizarlo con las mujeres que con los hombres.

thoughtful

we address

the matter

En las campañas electorales se habla más del trabajo con los hombres, y del ocio° y del sentimiento° con las mujeres. Es verdad que se hace. Yo, personalmente, quizá no lo haría. Creo que no. Si hiciera una entrevista a una mujer que se dedica a la política, no se me ocurriría preguntar esto. Lo encontraría de muy mal gusto°. Y también digo que si algún periodista lo hace, eso es de mal gusto, porque automáticamente rebaja° la condición de la mujer que trabaja en política o en cualquier otra cosa a una condición puramente sentimental. Digamos que es una degradación del trabajo de la mujer.

leisure/feelings

taste

lowers

> ***"La charla inútil es de donde surgen la mayor parte de las ideas que a uno se le ocurren."***

JM ¿Quién es la mujer que tiene más posibilidades en cuanto al poder político?

LC Yo pienso que a pesar de todos los esfuerzos que se han hecho y de la cantidad de mujeres que han estudiado en nuestra época, las mujeres tenían mayor importancia y significación en la época de la República[4] de lo que han tenido ahora. Había grandes nombres, como Victoria Kent[5] o Clara Campoamor[6]; había una serie de mujeres fantásticas en el Parlamento, y en general en la política. Actualmente°, las mujeres que están, tanto en el Grupo Popular, como en el Grupo Socialista, apenas salen a la tribuna°. Trabajan bastante en comisiones y así, pero no aparecen como figuras políticas. Yo no sé si esto es una política° de los partidos° o es una cosa

nowadays

apenas...*hardly ever make public speeches/policy/ political parties*

[4] The Second Spanish Republic, 1931-39.

[5] Kent (1898-1987), feminist, lawyer, penologist, member of the *Cortes*. First woman in the world to present a case before a Supreme Court.

[6] Campoamor (1888-1972), feminist, deputy to the *Cortes*.

que responde a una cuestión personal de ellas; creo que no hay ningún principio°, ni escrito, ni pensado, que vaya contra la participación de la mujer. Pero, de hecho, es así. Yo tampoco sé cuáles son las cifras° de participación de las mujeres en el Congreso Norteamericano, por ejemplo, o en el Senado. *rule* *statistics*

JM Es menos que aquí, pero ellas tienen más poder que aquí.

LC ¿Menos que aquí todavía? Es una cosa curiosa, porque todos los movimientos feministas que han existido no han servido para incrementar el papel de la mujer en la política. Yo no sé dar soluciones, pero solamente veo que no existe una correspondencia con la cantidad de mujeres profesionales y gente que está en puestos sociales importantes. En las Cortes, hablar es lo más importante de todo, y aparecer en público.

JM ¿Participaron las mujeres en el debate de la ley° del aborto? *law*

LC Cuando se estaba debatiendo el aborto no participaron para nada° las mujeres. Es una ley para mujeres y hecha por hombres. Yo quisiera puntualizar° de todas maneras que la representación parlamentaria no tiene porqué° estar dividida en la proporción social, es decir, no tiene porqué haber cincuenta porciento de mujeres en el Parlamento. Porque esto no tendría sentido. El representante popular es representante sea hombre o mujer, incluso se ha llegado a decir° en el Congreso "los diputados no tenemos sexo." Y eso es verdad. Los diputados no representan sólo a los hombres por el hecho de° ser hombres o no representan sólo a las mujeres por el hecho de ser mujeres. Creo que la representación política no tiene que ver con el sexo. *at all* *to make clear* no...*has no reason* se...*it has been said* por...*because of*

JM Bueno, hablaremos más de eso después. Pero primero ¿quieres decirme algo sobre la tertulia?[7] Yo sé que asistes los lunes a las 10:00. ¿Quiénes participan? ¿Qué temas discutís?

LC Bueno, yo considero que la tertulia es de las cosas más importantes que existen en el mundo, aunque me imagino que la palabra tertulia es un poco difícil de traducir, pero yo creo que del hecho de charlar, la charla inútil, es de donde surgen° la mayor parte de° las ideas que a uno se le ocurren. Porque hay que partir de la base de que uno mismo no crea nada, no inventa nada, sino que es del grupo social humano de donde salen las cosas. Para mí es muy esencial reunirme° periódicamente con amigos, con un grupo de amigos, en esta tertulia o en otra, para llegar a conectar y a tener ideas. La tertulia no suele° engendrar ideas por sí misma, pero cada contertulio° va a su casa luego y piensa las cosas que se han dicho y con eso elabora sus ideas. Es muy difícil escribir un artículo sin tener tertulia. *emerge/most of* *to meet* *tend to* *participant in the tertulia*

[7] A group of friends who meet regularly (usually weekly) in a bar or café to sit and talk. These groups may go on meeting for years and even decades.

Los temas que se discuten en la tertulia no son los propios° de una conversación seria, sino que es una conversación que puede saltar de alta política internacional a temas de setas°, por ejemplo, o pasar de los vinos a la literatura inglesa. Alguna vez alguien trae un soneto y lo recita allí; es una cosa un poco loca la tertulia, no tiene ninguna seriedad ni formalidad, porque esto contradiría° mucho su misma esencia que es gratuita°, la gratuidad de la conversación, o sea, el puro placer de hablar, sin ningún otro propósito. En España decimos que un grupo de hombres con propósito es un partido político y un grupo de hombres sin propósito es una tertulia.

those characteristics

mushrooms

would contradict

gratuitous

JM ¿Participan las mujeres en la tertulia?

LC En su origen las tertulias suelen ser masculinas. Hay una gran tradición de tertulia en España y se siguen practicando las tertulias en los casinos, en los cafés. Es una costumbre un poco machista de origen, lo cual no significa que no haya tertulias mixtas, de hombres y mujeres. Pero es más difícil. Nosotros solemos° pensar, o yo al menos lo pienso, que las mujeres no tienen la capacidad de abstracción que tenemos nosotros. Personalizan las conversaciones, tienen una tendencia a verlas a través del prisma personal, mientras que los hombres somos más generalizadores. Yo he notado que cuando hay mujeres en una tertulia, la tertulia cambia de tono, no se produce con la misma naturalidad, quizá por culpa de los hombres, que actúan de una manera diferente, menos distendida°, delante de las mujeres.

are used to

relaxed

JM Luis, una pregunta indiscreta: ¿Tú te crees machista? o ¿son solamente los otros hombres que son así?

LC Yo creo que soy machista, discretamente machista. Es el "neomachismo," más bien. El neomachismo es que antes obligábamos a la mujer a estar en casa. Ahora la obligamos a trabajar para nosotros... Bueno, esto lo digo en broma, porque yo a mi mujer no la obligo a trabajar para mí, pero quiero decir que creo que los hombres, o algunos hombres, han reaccionado así ante el feminismo. Ha producido un cambio de orientación en el pensamiento masculino, que antes era dominante y muy deseoso de encerrar a la mujer y de que no la viera nadie. Hoy en día, se ha comprendido que es mucho más fácil y mucho más conveniente que la mujer trabaje fuera°, por ejemplo, que tenga relaciones libremente con el mundo social y laboral, que pueda ganarse también la vida. Esta ha sido una reacción al feminismo y yo, por eso, la llamo neomachismo, creo que está bien dicho. Pero, hablando de estas cosas, hay que decir que las realidades humanas, las relaciones entre hombre y mujer, sobre todo, nunca se pueden condensar en una sola palabra. Ese es un mundo de muchos matices que no admite simplificaciones, porque se refiere a una realidad personal.

outside (the home)

Ejercicios

VOCABULARIO: *Escoge en la columna de la derecha una palabra que sea antónimo de las palabras en la columna de la izquierda. Haz una frase con las palabras que has escogido.*

chico	insulto
despectiva	afectuosa
rejuvenecimiento	viejo
emocionante	trabajo
ocio	envejecimiento
rebajar	elevar
cumplido	aburrido

DEFINICIONES: *Escoge una de las palabras siguientes para completar cada frase.*

charlar	propósito
lenguaje	contertulio

1. Una tertulia es un grupo social donde la gente _______ de cualquier cosa.
2. Los que asisten a las tertulias son _______.
3. Dicen que un grupo de hombres con _______ es un partido político y que un grupo de hombres sin _______ es una tertulia.
4. El _______ corriente usa las palabras "chico" y "chica" en una manera muy subjetiva.

Preguntas

1. Explica cuándo se debe usar las palabras "chico" y "chica" en España y cuándo sería de mal gusto usarlas.
2. ¿Por qué no se ofendería, quizás, una mujer mayor si alguien la llamara "chica"?
3. En el lenguaje corriente, generalmente, ¿es mejor aludir a una mujer usando la palabra "mujer" o la palabra "chica"?
4. Según Carandell, ¿por qué hacen los hombres que entrevistan a las mujeres importantes preguntas distintas a las que hacen a los hombres importantes?
5. ¿Qué opina él de esta práctica?
6. ¿Cómo compara él la posición de la mujer hoy con la posición de las mujeres durante la época de la República?

7. ¿Qué nos explica acerca de la tertulia?
8. ¿Por qué cambia de tono una tertulia cuando hay mujeres presentes?
9. ¿Qué es el "neomachismo" según Carandell?

Conversación y opiniones

1. Carandell habla del sexismo del idioma español. ¿Es sexista también el idioma inglés? Da ejemplos para apoyar tu opinión.
2. Si tú fueras periodista y tuvieras que entrevistar a una mujer que se presentara para Presidente de los EE.UU., ¿qué preguntas le harías? ¿Serían iguales a las preguntas que le harías a un hombre, también candidato?
3. ¿Tú te diriges al sexo opuesto con la misma naturalidad con que hablas con alguien de tu sexo? Si es así, pregúntale a tu vecino(a) si tiene novia(o) o si quiere reunirse contigo para cenar.
4. Carandell dice que se habla más del trabajo con los hombres (en las campañas electorales) y del ocio y del sentimiento con las mujeres. ¿Crees que en realidad las mujeres saben más del ocio y del sentimiento que los hombres? Explica tu respuesta.
5. ¿Podemos comparar la tertulia a alguna costumbre norteamericana? ¿Qué opinas de la tertulia? ¿Te gustaría reunirte con algunos estudiantes de esta clase para charlar sobre cualquier cosa de vez en cuando? Si es así, ¿te gustaría convertir esta clase en una tertulia?

Ernesto Cardenal: la religión y el socialismo

Ernesto Cardenal, Ministro de Cultura de Nicaragua, es una persona muy importante en el mundo de la política. Pero antes de meterse en la política ya era muy conocido como uno de los poetas más leídos y más influyentes de Latinoamérica. Era también el portavoz° de los católicos de izquierda, que creen que la Biblia y Marx[1] no son incompatibles, y que a menos que la Iglesia tome decididamente el partido de° los pobres y de los oprimidos°, desaparecerá por completo en el mundo de mañana.

spokesman / *the side of* / *oppressed*

Dos viajes han ejercido en Cardenal una honda° influencia. El primero fue al monasterio de Gethsemane, en Kentucky, donde se puso en contacto con el gran poeta norteamericano — y monje trapense[2] igual que Cardenal — Thomas Merton.[3] Merton fue para Cardenal una inspiración, un ejemplo. El segundo viaje fue a Cuba, donde Cardenal aprendió a amar y respetar la ideología del socialismo cubano. Después, juntando° estas dos experiencias, Cardenal se retiró a un archipiélago en un lago de Nicaragua donde fundó una pequeña abadía°, que era también una comunidad cristiana y al mismo tiempo una comuna marxista.

deep / *combining* / *abbey*

Hace varios años Cardenal visitó la Universidad de Yale, y pude observar que Cardenal todavía tiene la misma mirada, intensa y curiosa, que tenía cuando lo conocí hace muchos años en la Facultad de Filosofía y Letras de la Universidad de México. Respira cariño, bondad y, también, una profunda, inalterable convicción. Es un hombre que vive sus ideas, ideas que pueden gustarnos o no. Pero en todo caso es un hombre honrado que

---

[1] Karl Marx (1818-1883), German socialist and founder of modern communism.

[2] Trappist, member of the Trappe, a religious monastic order that emphasizes liturgic prayer, manual work, austerity and silence.

[3] Thomas Merton (1915-1968), American author of *The Seven-Storey Mountain* (1948) and *Seeds of Contemplation* (1949) who converted to Catholicism and became a monk.

hace lo que predica°. Como no le gusta dar entrevistas, nos contestó nuestras preguntas por carta. Ahora, para la segunda edición de este libro, Cardenal nos ha solicitado incluir esta aclaración: "Esta entrevista me fue hecha hace varios años, cuando aún vivía en una comunidad en el archipiélago de Solentiname en el Lago de Nicaragua. Posteriormente°, con el triunfo de la Revolución Sandinista, yo he pasado a formar parte de este gobierno. Los puntos de vista° que entonces había expresado deben ser considerados como opiniones personales mías y no como del Frente Sandinista. La Revolución Sandinista no es comunista en el sentido de Marx, ni en el sentido del comunismo de los primeros cristianos, ni en el de la Orden de San Benito[4] o las otras órdenes religiosas; sin embargo, yo he dado mi total apoyo° a esta Revolución por considerar que es la mejor que por el momento podemos tener."

preaches

later

viewpoints

support

Sobre la poesía

No me gustan las entrevistas. Y no me gusta mucho hablar de literatura. Me interesa la literatura al servicio de algo más grande que ella. Yo renuncié a la literatura cuando entré a un monasterio trapense. Entonces para mí eso más grande° era Dios. Pero yo no había entendido bien las Escrituras. Después he comprendido que a Dios no se le ama directamente: sólo se le conoce, en el sentido bíblico (o sea se le posee) a través del hombre. San Juan insiste en que nadie ha visto a Dios. Dios vino al hombre en la persona de Jesucristo. Pero no nos debemos equivocar tampoco con la persona de Jesucristo: ahora Jesucristo es el pueblo.

this greater thing

En la Trapa° me orientó mucho en esto mi maestro de novicios, que era Tomás Merton. Mi estancia° allí fue de dos años y pico°. Después he tenido otra experiencia muy importante en mi vida y fue mi viaje a Cuba. Allí me convencí de que la salvación estaba más cerca de lo que nosotros creíamos.

Trappist order

stay/a little more

Me interesa la poesía, sí, y es lo que más hago, pero me interesa de la misma manera en que les interesaba la poesía a los profetas. Me interesa como un medio de expresión: para denunciar las injusticias, y anunciar que el reino° de Dios está cerca.

kingdom

[4] Saint Benedict (c. 480-547), founder of the great Abbey of Monte Cassino in southern Italy whose rules emphasizing celibacy, obedience, piety, communal life, and intellectual and manual labor created the Benedictine Order and were often imitated by other monastic orders.

Sobre la misión de la Iglesia

La Iglesia tiene una misión muy importante en estos momentos en América Latina. Y yo creo que a ella le toca°, sobre todo, predicar el comunismo. El obstáculo más grande que tiene la revolución en América Latina es el miedo al "comunismo." Aun los pobres tienen ese miedo. Conocí a un campesino° en Nicaragua, muy pobre, que tenía miedo al comunismo porque le iban a quitar las gallinas°. La Iglesia ha contribuido en gran medida° a meterle a la gente ese miedo. Ella puede ser ahora un factor muy importante para quitar ese miedo, y así acelerar la revolución. Por eso yo siempre que puedo predicar ante un público numeroso en una iglesia (no siempre puedo) lo hago mencionando la palabra comunismo, y hablo a favor del comunismo.

it's up to (the church)
peasant
hens, chickens
measure

Sobre el comunismo

El comunismo según Marx, la sociedad en la que ya no habrá egoísmo ni injusticia de ninguna clase, es lo mismo que los cristianos entendemos por reino de Dios en la tierra. Y el comunismo como lo entendió Marx ("de cada uno según su capacidad, a cada uno según sus necesidades") es el sistema social de los primeros cristianos. Los Hechos° de los Apóstoles dicen que ninguno decía que las cosas fueran suyas porque todo era de todos, "y se repartía a cada uno según sus necesidades".

Acts (a book of the Bible)

Cuántas confusiones ha creado la propaganda capitalista. Yo me he encontrado gente culta° que me ha dicho: "Yo estoy de acuerdo con el marxismo pero no con el comunismo." Por Comunismo entienden Stalinismo.[5] Que es como entender por Evangelio°, la Inquisición.

educated
Gospel

Y no sólo en América Latina. Acabo de estar en Alemania, y cuando en mis intervenciones° públicas yo hablaba de marxismo siempre había alguien que atacaba el marxismo citando el caso de la Unión Soviética. Yo tenía que recordarles que Marx no era ruso sino alemán. Lo que quería decir° que el marxismo era universal, pues había un marxismo muy ruso, y otro muy chino, y otro cubano que era muy latinoamericano, y también iba a haber un marxismo alemán.

lectures
which meant

En un famoso monasterio benedictino, en Alemania, los monjes se espantaron° porque yo defendía el comunismo. Les tuve que recordar que ellos eran comunistas, según su regla de San Benito. Tenían todas las cosas en común. Les recordé un capítulo de su regla, donde San Benito condena lo que él llama "el infame vicio de la propiedad

were shocked

---

[5] Josef Stalin (1879-1953), Soviet leader under whose rule Russia became a totalitarian state. Stalinism was his particular version of communism.

privada". Discutieron° conmigo hasta muy avanzada° la noche, pero al final me dieron la razón°. *argued/late* me... *they admitted I was right*

Sobre cristianismo y comunismo

En Venezuela oí decir a un viejo líder del partido comunista que ahora que los cristianos se estaban haciendo revolucionarios iba a ser posible la revolución en América Latina. Que ellos antes habían creído que la revolución se podía hacer sin los cristianos pero que en eso no habían sido buenos marxistas, porque no habían tomado en cuenta° que el pueblo era cristiano, y que una revolución así tendría que ser una revolución sin el pueblo y por tanto una falsa revolución. (Estábamos en una gran reunión de gente humilde° que en su mayoría eran cristianos y revolucionarios.) *into account* *poor*

Y Fidel me dijo en Cuba que el aporte° de los cristianos no sólo era importante para lograr° el triunfo de la revolución, sino que lo era más todavía para después, "para los sacrificios que exige° el establecimiento del socialismo." *contribution* *achieve* *demands*

Sobre el marxismo

Soy un marxista que cree en Dios y en la vida después de la muerte. Creo que esto no se opone al marxismo sino que lo complementa. Como dijo nuestro poeta Coronel Urtecho[6] aquí en Solentiname, en uno de estos comentarios del Evangelio con los campesinos: "El dogma de la resurrección de la carne significa que la revolución no acaba en este mundo, que el comunismo sigue después de la muerte."

Sobre el marxismo y la religión

Marx y la religión son incompatibles. Pero no Marx y la Biblia. El mensaje° de la Biblia es completamente marxista, aun en lo que se refiere a la religión. Hay que leer el libro que escribió el jesuita mexicano Porfirio Miranda, *Marx y la Biblia* (él ya no es jesuita). Como él lo hace ver° muy bien, el Dios de la Biblia está siempre diciendo a través de los profetas, que él no quiere culto, está aburrido de las plegarias°, de las oraciones°, de los sacrificios, del incienso, de los ayunos°. Lo que quiere es que se rompan las cadenas° de los oprimidos, que no se explote al débil, que no se despojen° a los huérfanos° y a las viudas°, *message* *clarifies* *supplications* *prayers/fasts* *chains* *take from /orphans/widows*

[6] José Coronel Urtecho (1906-), Nicaraguan poet and translator who introduced avant-garde poetic trends and translated into Spanish many poems by Walt Whitman, Carl Sandburg and Ezra Pound.

que haya justicia entre los hombres. Y el mensaje que predicó Cristo es en la misma línea.

El cristianismo en realidad no es una religión. Su culto religioso es socorrer° a los huérfanos y a las viudas, como dice Santiago°. Y los romanos consideraron ateos° a los primeros cristianos. Porque ante las religiones el cristianismo aparecía como un ateísmo. Después adoptó formas religiosas porque la humanidad aún necesitaba de religión. Y todavía los sectores más primitivos la necesitan.

help/Saint James
atheists

El cristianismo no es una religión sino una fe. Y el marxismo es una ciencia (y una práctica de esa ciencia). Y no tiene por qué° haber contradicción entre la ciencia y la fe — eso se ha sostenido° tradicionalmente en el cristianismo—.

no... *there's no reason/held*

También puede hablarse del marxismo como filosofía. Y podría haber una contradicción, o no haberla. Ahora algunos teólogos latinoamericanos están haciendo una teología con esa filosofía, que está más cerca de la Biblia que la de Aristóteles.

"...en América Latina no sólo hay una teología marxista. También empieza a haber una teología mística marxista."

Y en América Latina no sólo hay una teología marxista. También empieza a haber una Teología Mística marxista. Cuando yo estuve en Chile me llegó a ver a mi hotelito un religioso y me dijo: "Usted dijo anoche en la televisión que un cristiano puede ser marxista. En Chile algunos sacerdotes y religiosos decimos otra cosa, que actualmente° un cristiano, para ser auténticamente cristiano, debe ser marxista." Por cierto que cuando le conté después al presidente Allende que había oído esto en Chile, se asombró° mucho. Después se lo conté a Fidel, en la conversación que tuve con él en La Habana; Fidel en cambio no se sorprendió en absoluto; me dijo: "¡Por supuesto!°"

nowadays
was astonished
of course

Bueno, ese religioso que me llegó a ver me dijo también: "Nosotros creemos que la religión es funesta° y debe acabar. La humanidad ahora es como una niña de 12 años. Antes esta niña jugaba con muñecas°; le gustaban los cuentos de hadas°; estaba totalmente dependiente del papá y la mamá. Eso fue la religión en la infancia de la humanidad. Pero ahora la niña ha crecido y ya no quiere jugar con muñecas. También quiere hacerse independiente, y cree que se basta sola°. Este es el ateísmo al que está entrando ahora la humanidad y es un progreso en su desarrollo. Pero la niña de 12 años todavía no es una mujer. Un día su cuerpo habrá madurado° más, y entonces se sentirá sola y que no está completa, y sentirá la necesida de amar. Allí aparece Dios: el Esposo que se desposará° con esta Humanidad. Ahora

fatal
dolls/fairy tales
se... *is self-sufficient*
developed
will wed

todavía no hay Humanidad, sólo hombres. El cuerpo de la niña tiene que desarrollarse° más. Por ahora no conviene perturbarla hablándole mucho del esposo, ella todavía no siente la necesidad de él. Y en realidad ahora lo único que importa es que ella se haga° mujer. Por eso la única prioridad ahora es la Revolución. Formar la Humanidad completa. Pero conviene hablar de vez en cuando a la niña de su futuro matrimonio, para que no crezca° egoísta, o se haga lesbiana, o se desespere en su adolescencia sintiéndose sola y se suicide. Esa es la función del contemplativo°. Aun los ermitaños° tienen un papel revolucionario muy importante. No todas las células° del cuerpo maduran al mismo tiempo; algunas células sexuales pueden madurar antes y sentir ya desde ahora la necesidad de esa unión: esos son los contemplativos. Esa unión ya se consumó, individualmente, en la persona de Jesucristo. Después se va a consumar en la humanidad entera. Pero la tarea inmediata es la Revolución."

develop

becomes

grow up

one devoting his life to pious meditation/hermits/cells

Este religioso pertenecía al MIR[7] y andaba armado. Me dijo que estaba casi en la clandestinidad. Eso me sorprendió mucho. Era en 1971. Ahora después del golpe° fascista comprendo por qué ya desde entonces andaban así.

take-over

Sobre la Iglesia

Los que están con el poder y el dinero no pertenecen a la Iglesia de Cristo. En realidad están fuera. En cambio Cristo dijo: "Tengo otras ovejas° que no están en este aprisco°." Esas otras ovejas son los que luchan por la justicia sin ser cristianos. Son la otra Iglesia de Cristo.

sheep/place of refuge

Cuando yo estuve en Chile acababa de estar allí el Padre Blanquart, sacerdote obrero° de Francia, y marxista, y él había dicho en la Universidad Católica que la Iglesia del futuro iba a ser muy distinta de la de ahora: Una Iglesia compuesta sólo de revolucionarios. Yo así lo creo. Ese cristianismo será casi irreconocible... Más bien como el de los primeros cristianos.

worker priest

Sobre el materialismo

En Cuba vi que toda la gente comía lo mismo por medio de una libreta de racionamiento°. Todos se vestían con la misma calidad de ropa. Todo el mundo tenía servicio médico (gratuito). Todos tenían la misma oportunidad de educación, incluso la educación universitaria. Nadie estaba sin techo°. No había prostitución, ni mendigos°, ni deso-

libreta... *book of ration cards*

roof/beggars

---

[7] *Movimiento de la Izquierda Revolucionaria*, a radical leftist party in Chile.

cupados°. Todos los niños en Cuba recibían juguetes° en Navidad, un juguete grande y dos pequeños, que el mismo niño o la niña escogía en la tienda, y era la misma calidad de juguetes para el niño de un alto funcionario° o el de un campesino. Cuando yo después conté todo esto y expresé mi admiración por la revolución cubana, un hombre de letras° que es millonario me atacó diciendo que yo me había deslumbrado° por el "materialismo marxista" y que había olvidado aquello de que "no sólo de pan vive el hombre". Y él era millonario.

unemployed/toys · *government official* · *scholar* · *dazzled*

San Juan dice que Dios es amor. Esta es una frase vaga, que no dice nada — a no ser que° entendamos con precisión qué quiere decir San Juan por amor. Por amor San Juan entiende una cosa muy concreta, y una cosa a la que nosotros corrientemente no le damos el nombre de amor. Y que Jeremías describe así: "Defender la causa del pobre y del indigente."

a... *unless*

Sobre la violencia y la no-violencia

La Biblia dice NO MATARAS. Pero en el mismo libro de la Biblia en que está ese precepto, se ordena que al que comete un asesinato hay que matarlo, porque quebrantó° ese precepto. En cambio algunos interpretan ahora el NO MATARAS en el sentido de que a un tirano que ha cometido muchos asesinatos *no* se le debe matar.

broke

La palabra "violencia" tiene varios significados°. Si se entiende meramente el uso de la fuerza, es algo neutro. Hay que distinguir el uso de la fuerza para asaltar a un niño, o el uso de la fuerza para defender a un niño asaltado por un asesino.

meanings

Naturalmente que debemos preferir la no-violencia cuando se puede escoger.

Sobre Solentiname

Vine a Solentiname huyendo° de lo que tradicionalmente se llama en el lenguaje° cristiano "el mundo" y que ahora es el capitalismo y la sociedad de consumo.

fleeing · *terminology*

Vine a esta isla buscando la soledad, el silencio, la meditación, y en último término buscando a Dios. Dios me llevó a los demás hombres. La contemplación me llevó a la revolución.

Sobre la vida en nuestra comuna

Nuestra comuna es muy reducida°, y la mantenemos así voluntariamente, porque queremos llevar una vida de familia, y también una vida sencilla, sin complicaciones, lo cual no se puede en un grupo

small

grande. Están en carácter permanente en esta comunidad un matrimonio colombiano (el poeta William Agudelo y su esposa) con dos niños pequeños, y además tres jóvenes campesinos, nativos de estas islas de Solentiname, que han tenido bastante formación° y estudio° en la comuna. Y hemos tenido también por largas temporados, con carácter menos permanente, a algunos otros jóvenes, generalmente estudiantes o intelectuales.

education/training

Nos mantenemos económicamente principalmente con artesanías° (trabajos en madera°, cuero°, metales, cerámica, etc.) y en parte también con un poco de ganado° y también con el producto de mis libros.

crafts
wood/leather
cattle

Al ver nuestros trabajos muchos jóvenes campesinos han empezado también a hacer trabajos de arte (tallas° en madera y pintura primitiva) y se ha desarrollado ya una verdera escuela de arte primitivo en Solentiname que está siendo ya muy conocida internacionalmente. Los cuadros de Solentiname se venden muy bien en Europa, y se han expuesto en varios países. Recientemente tuvimos una exposición en Nueva York y algunos críticos han dicho que es tan buena pintura como la haitiana°.

carvings
Haitian

En nuestra pequeña comuna todo es en común. Mi trabajo es principalmente escribiendo, pero también trabajo en las artesanías, y a veces en esculturas. Por la mañana después de levantarnos tenemos unas lecturas° de Salmos° y de otros pasajes de la Biblia. Después alguna lectura de tema social o político (generalmente marxista). Después del desayuno tenemos trabajo para la comunidad toda la mañana. El resto del tiempo es tiempo libre. A veces tenemos al atardecer una celebración eucarística en torno° a una mesa. Los domingos tenemos la misa con los campesinos de las diversas islas, en nuestra pequeña iglesia. El evangelio no es predicado por mí sino que es comentado por todos en forma de diálogo. Estoy reuniendo estos comentarios en forma de libro, el cual será publicado pronto (en EE.UU. lo publicará Orbis Books) con el título de *El evangelio en Solentiname.* Después de la misa tenemos un almuerzo comunal con todos los asistentes, en una choza de paja° que es también nuestro rancho de reunión. Nuestra labor aquí es principalmente de concientización°; o sea preparar la venida del reino de Dios en la tierra, que para nosotros es lo mismo que la revolución.

readings/Psalms
en... *around*
choza... *thatched hut/consciousness raising*

Ejercicios

VOCABULARIO:

A. *Utiliza una de las siguientes palabras en su forma adecuada: contar, cuento, cuenta.*

1. Antes nos _______ las historias de la Biblia.
2. Sus intereses no los tomaba en _______.
3. Los _______ de Hans Kristian Andersen son fascinantes.
4. Mesero, tráigame la _______ por favor.
5. No me gustan ya los _______ de hadas porque ya soy adulto.

B. *Preposiciones y conjunciones. Utiliza una de las siguientes palabras: en, de, a, con, por, para, pero, sino, en.*

1. El cristianismo no es una religión _______ una fe.
2. Los que están _______ el poder no pertenecen _______ la iglesia.
3. Comían _______ medio _______ una libreta de racionamiento.
4. Era el mismo juguete _______ el niño de un alto funcionario o el _______ un campesino.
5. Expresó su admiración _______ la revolución cubana.
6. Le acusó _______ estar deslumbrado _______ el materialismo marxista.
7. Yo renuncié _______ la literatura cuando entré _______ un monasterio.
8. Me interesa la literatura _______ la misma manera _______ que les interesaba la poesía _______ los profetas.
9. Me interesa la poesía _______ denunciar las injusticias, y _______ eso me dedico a ella.

SINONIMOS: *Escoge la palabra a la izquierda que significa lo mismo que la palabra a la derecha.*

madurar	reducido
pequeño	casarse con
desposarse	contribución
aporte	opinión
punto de vista	desarrollarse

TRADUCCIONES: *Traduce las frases siguientes al español.*

1. Finally they said I was right.
2. I heard an old leader say that everything was going to change.

3. They had not taken into account that the people were Christian.
4. A peasant was afraid of communism because it was going to take away his hens.
5. They tried to inspire this fear in people.

Preguntas

1. ¿Cuándo renunció a la literatura el poeta Cardenal?
2. Según él, ¿cómo se le conoce a Dios?
3. Según él, ¿donde está ahora la persona de Jesucristo?
4. ¿Quién era su maestro de novicios?
5. ¿Cuál era la otra experiencia que él considera muy importante en su vida?
6. ¿Por qué se interesa por la poesía?
7. Según Cardenal, ¿cuál será la misión de la Iglesia?
8. ¿Cuál ha sido la observación de Fidel Castro acerca del aporte de los cristianos a la revolución?
9. ¿Por qué cree Cardenal que la Biblia y la revolución son compatibles?
10. Menciona algunas cosas que impresionaron al poeta en Cuba.
11. ¿Qué opina él acerca de la violencia?
12. ¿Por qué vino a la isla de Solentiname?
13. ¿Quiénes son los habitantes de Solentiname? ¿Cómo se mantienen?

Opiniones

Ya que hay que pensar mucho antes de formar opiniones sobre las preguntas que incluimos aquí, sugerimos que contesta estas preguntas por escrito.

1. Cardenal dice que no tiene porqué haber contradicción entre la ciencia y la fe. ¿Estás de acuerdo? Explica.
2. En tu opinión, ¿cuál es la relación entre la fé y: 1) la religión? 2) la revolución? ¿Se puede ser religioso o revolucionario sin fe?
3. ¿A ti te gustaría pertenecer a una comunidad tal como la de Solentiname? Explica tu respuesta.
4. ¿Estás de acuerdo con Cardenal cuando dice que no hay contradicción en su creencia en la vida después de la muerte y en la revolución de la sociedad en esta vida?
5. ¿Crees, como Cardenal, que el marxismo es una ciencia? Explica tu respuesta.

Composición y conversación

1. Vamos a suponer que tú visitas otro planeta y allí te preguntan: "¿Cómo es el carácter del ser humano?" ¿Qué dirías?
2. ¿Cuál es el sistema de gobierno que mejor corresponde al carácter del ser humano tal como tú lo entiendes? (i.e., la dictadura, la democracia, la monarquía)
3. ¿Crees que el sistema de gobierno de un país debe estar de acuerdo con el carácter de su población o debe mejorar este carácter? Explica.
4. ¿Cuál de los dos sistemas económicos es más justo: que cada persona reciba un sueldo que corresponde a su contribución a la sociedad o que cada persona reciba un sueldo que corresponde a sus necesidades?
5. ¿Crees que el cristianismo y el comunismo son reconciliables o que el uno excluye al otro?
6. Si tú pudieras fundar una sociedad nueva, ideal, ¿cómo sería?
7. ¿Crees que la violencia está a veces justificada o que no está justificada nunca? Explica.
8. ¿A ti te gustaría ser cura, pastor protestante o rabino? Explica tus razones.

"Yo era un Presidente que tuve que ejercer el poder como si fuera un equilibrista (tight-rope walker)*; yo iba por un alambre* (wire) *y me iban echando aceite a ver si me caía por la derecha, por la izquierda o por el centro."*

Adolfo Suárez, arquitecto de la democracia en España

Adolfo Suárez, el arquitecto de la democracia en España, ocupó varios puestos gubernamentales durante la época de Franco:[1] Gobernador Civil de Segovia, Director de RTVE,[2] diputado en las Cortes[3] Españolas. En el primer gobierno del Rey Juan Carlos I fue Ministro del Movimiento Nacional, el único grupo político que había sido permitido por Franco. Franco había muerto en 1975. Suárez creyó, acertadamente°, y en contra de la opinión de casi todos los dirigentes° que lo rodeaban°, que había llegado para España la hora de la democracia. El Movimiento Nacional era en realidad un partido muy parecido al partido nazi en Alemania o al fascista en Italia. Suárez procedió a extinguirlo desde arriba. Juan Carlos nombró a Suárez Presidente de España en julio de 1976, puesto que ocupó hasta 1981.

rightly, fittingly
leaders/surrounded

Los cinco años del gobierno de Suárez se llaman "la transición". Durante esa época, el Presidente consiguió que las Cortes adoptaran la Ley de Reforma Política, esencial para el establecimiento de la democracia en España. Esta ley permitió la legalización de los partidos políticos, antes ilegales en España. ¡Más de 200 partidos, incluso el Partido Comunista Español, se legalizaron!

Después de meses de trabajo, angustia, y cansancio para Suárez, los españoles votaron el 15 junio de 1977 en las primeras elecciones libres en más de 40 años. ¡Votaron por la democracia! Pocas semanas después, un equipo° parlamentario empezó a escribir una nueva constitución, ratificada en 1978 por el pueblo español.

team

La siguiente entrevista fue llevada a cabo por la profesora Moriarty.

---

1 Francisco Franco y Bahamonde (1892-1975). Dictator of Spain from 1939 until his death in November 1975.

2 The public television stations of Spain. There are no private stations.

3 Spanish Parliament.

"Volveré a ser presidente," nos dijo Adolfo Suárez en su elegante despacho de la Calle Antonio Maura en Madrid. Pero inmediatamente se nos disculpó° observando que ese sentimiento entraba dentro del campo° de los deseos personales y de la publicidad política, y no de la objetividad en la información que debía darnos.

begged our pardon/area

Mis estudiantes y yo nos dimos cuenta de que estábamos ante una persona importantísima, quien hizo el cambio de la dictadura a la democracia, el ex presidente de España entre 1976 y 1981. Completamente sin pretensiones de grandeza, a pesar de todo lo bueno que ha hecho por su patria, este hombre carismático, "superstar" de la política española, nos habló como si fuera nuestro mejor amigo, contándonos los sucesos más significativos de los cinco años de la transición.

Adolfo Suárez (nacido en 1932), de aspecto fino y elegante, y con la cara bronceada° por el sol, es un hombre muy atractivo. Es evidente que le gusta hablar directamente con las personas en grupos pequeños para ser muy personal.

tanned

J. MORIARTY Si usted fuera norteamericano, hoy en día, su cara estaría en Rushmore, que es una montaña donde están los presidentes de los Estados Unidos por lo que han hecho por su patria. Pero me parece que aquí los españoles le tratan bastante mal o con indiferencia, y usted es fundamental para la democracia en España. ¿No es cierto?

ADOLFO SUAREZ Bueno, en la pregunta que usted hace hay un calificativo° que yo creo es el único que no cuadra° y es el de la indiferencia. La verdad es que no produzco indiferencia, produzco o simpatía u odios. Pero indiferencia, yo creo que no. Me gustaría conseguir algunos niveles de indiferencia. En España, normalmente, no perpetuamos a las personas que hacen grandes transformaciones a su país, al menos a corto plazo°. Una labor política como la que he realizado° yo, en principio, generó un rechazo° de unos sectores muy fuertes de la vida española que querían que a la muerte del General Franco las cosas siguieran más o menos como estaban, con una cierta limpieza de fachada°, que el Rey de España heredara° los mismos poderes que tenía Franco. Yo entendía que aquello era absolutamente imposible. El Rey hubiera tenido unos poderes que no hubiera disfrutado° ningún jefe de Estado del Mundo Occidental. Y por lo tanto el proceso democrático lo inicié en profundidad. Hubo sectores de la vida española que entendieron° que yo era un traidor, porque procediendo del sistema anterior hice un cambio muy profundo de las estructuras políticas, económicas e incluso sociales españolas.

designation/fits

in the short run/carried out/rejection

face lifting/would inherit

enjoyed

concluded

JM Y así usted se creó muchas enemistades.

AS En efecto. Incluso los miembros o afiliados de partidos democráticos desconfiaban° de mí, desconfiaban que lo que yo decía que iba a hacer se pudiese llevar a efecto° y en todo caso que tuviese yo voluntad de llevarlo a efecto. En el exterior°, evidentemente, tengo bastante más prestigio que en España. Y quizás ese prestigio que viene del exterior ha hecho recapacitar° a muchísimos españoles. Pero, efectivamente, todavía en la vida española no hay un reconocimiento al nivel de lo que usted señalaba que podía producirse en los Estados Unidos. Pero los españoles somos muy aficionados a, cuando uno sube, tirar para abajo°. Por ejemplo, Julio Iglesias. Pues en España es donde menos triunfa. En España es donde tiene más antipatías.

mistrusted / *to carry out* / *outside Spain* / *think twice* / *belittle*

JM ¿Es por envidia o algo así?

AS Es una especie de tradición española. Que yo creo que estamos cambiando, también. España ha heredado de los últimos doscientos años o trescientos unas inercias° históricas de intolerancia, de dogmatismo, de envidia, que estamos cambiando ahora. Uno de los objetivos que llevamos como partido político es conseguir que en la vida española se instalen como hábitos y comportamiento° democrático la tolerancia, el diálogo, el consenso, y que discutamos las cosas a través de las razones y no a través de la fuerza o de la descalificación° de las personas, del insulto... y lo vamos consiguiendo.

(here) tendencies / *behavior* / *belittling*

JM Sí, creo que sí. Pero permítame una pregunta que espero no sea indiscreta. ¿Por qué realmente dimitió° usted? Yo creo que un presidente que gana unas elecciones, que vuelve a ganar, con lo que cuesta ganar unas elecciones, y cuando está arriba diga "Me voy, por salvar la democracia" debe tener unas razones de suma importancia.

resigned

AS Cierto, y es que eso ha sido poco comprendido en España y tampoco en el exterior. Pero lo que ocurre es que en la vida política española la gente cree que en unas elecciones elige un Presidente. Eso no es exactamente así. Según nuestra Constitución lo que elegimos es un Congreso de Diputados, que a su vez°, después, eligen a un Presidente. De tal manera, el Presidente del Gobierno no depende del voto popular sino de los Parlamentarios que estén presentes en el Congreso. Por lo tanto, necesita tener, permanentemente, una mayoría de Diputados que le apoyen°. Durante todo el año 80, yo fui objeto de ataques muy fuertes. El hecho de establecer en la Constitución un estado no confesional[4] produjo tensiones en la Iglesia. Y con las Fuerzas Armadas tuve problemas siempre porque las Fuerzas Armadas Es-

in its turn / *support*

[4] A lay, nonreligious state.

pañolas,[5] tradicionalmente, se consideraban como propietarios en exclusiva del patriotismo. Pensaban que por las virtudes que acompañan normalmente a los militares que ellos eran los que estaban llamados, quizá por llamada divina°, para decir lo que estaba bien y lo que estaba mal y lo que debían hacer unos y lo que debían hacer otros. Y naturalmente yo no quise aceptar. Pues bueno, todo eso contribuyó a crear un clima muy difícil. Me encontraba ya en una situación en número de votos cercana a la del principal partido de la oposición, que era el partido socialista. (El partido que yo presidiá, que contribuí a fundar, era una agrupación de ideologías diferentes, social demócratas, democristianas, liberales, etc.) Me pareció que lo lógico era presentar mi dimisión°. Y que permitiera que siguiera gobernando el partido que había ganado las elecciones en el 79. Esas fueron las causas fundamentales... Ahora bien, hay otras causas que también incidieron en aquella época y que todavía no voy a contar, porque en la medida en que las ponga de manifiesto°, lo que hago es descalificar° a grupos y personas y no facilitar mucho la vida democrática española. Por eso me callo y lo contaré sólo cuando no sea problema para España. Lo tengo escrito, y quizá lo publiquen mis nietos.°

so-called Divine Right

resignation

en la...*to the degree that I disclose them/ disqualify/grandchildren*

JM ¡Ojalá que sí! Mire, Sr. Suárez. Ya usted ha aludido, quizá indirectamente, a la idea de tolerancia. ¿Quiere usted hacer unos comentarios más?

AS Sí, ahora recalca° mucho la palabra tolerancia. Mire usted, yo, por talante° normal, soy tolerante. En el estudio de la historia española, llego a unas conclusiones que pueden no ser correctas. Yo creo que el pueblo español es un pueblo normalmente tolerante, capaz de convivir°. Hay etapas históricas en que han vivido juntos mozárabes,[6] árabes, judíos, cristianos, etc., y se llevaban muy bien. Pero han sido los gobernantes, normalmente, los que han introducido un factor de intolerancia en la vida política española, en la sociedad española, que era asumido después por el pueblo, fácilmente manipulable. Así yo creo que los obstáculos que hemos tenido como país no han sido tanto producto del pueblo como producto de las clases dominantes.

is emphasized

nature

get along with others

Aquí parece que solamente eran patriotas los de la derecha y el resto no tenía derecho a un "lugar al sol," que no eran patriotas aquellos que defendían peculiaridades°. Y, sin embargo, es un país muy diverso y que por mucho que nos empeñemos° en hacer unidades artificiales, la unidad más fuerte de España es la que viene determinada por la voluntad de todos los pueblos de España. Cuando todo aquello lo

*(here) local interests/*por...*no matter how much we may try*

[5] Spanish Army.
[6] Christians who lived among the Arabs (Moors) during the Middle Ages.

veo, me doy cuenta de que uno de los principales obstáculos que pueden dañar° la consolidación de la democracia española es la supervivencia de esos errores, repito: la intolerancia, el dogmatismo.

damage

Entonces empiezo a poner el acento en conseguir que España pase a ser más tolerante y que el español sea capaz de convivir con adversarios políticos sin que tengan que matarse. Lo digo muchas veces, que sean capaces de ser amigos personas de partidos políticos diferentes, que se combatan las ideas, pero que se respete profundamente a las personas, que cualquier persona, cualquiera que sea su ideología política, merece el respeto de los demás, aún cuando no comparta su ideología.

> *"La verdad es que no produzco indiferencia, produzco o simpatía u odios."*

JM Absolutamente de acuerdo...

AS Y creo que nadie está en posesión absoluta de la verdad, que la verdad es compartida° por todos. A medida que pasa el tiempo° voy poniendo más el acento en consolidar esos conceptos en la vida española. Paralelamente, y es un proceso personal, me voy haciendo yo personalmente más beligerante. Yo creo, sinceramente, en ese principio de que todos nacemos iguales, lo he dicho en el partido, y que la vida nos hace cada vez más desiguales, es verdad. Pero es que yo soy todavía más radical. Yo creo que no nacemos iguales. Pongo el ejemplo de mi pueblo; yo nací en Cebreros y un señor que nace en Salamanca, por ejemplo, ciudad universitaria importante, desde los momentos iniciales de su vida está recibiendo ya un peso° cultural, porque es el ambiente° que circula en la ciudad, y a los cuatro años ya sabe lo que es una conferencia°, a los cinco años ya sabe lo que son cursos de no sé qué... música, etc. Y en Cebreros el único impacto cultural que se recibe es la Banda Municipal tocando pasodobles.[7] Entonces entiendo que el Estado tiene que preocuparse de eso. Que el Estado tiene que tener un protagonismo para que toda persona, por el mero hecho de nacer, reciba asistencia, educación, vivienda° y trabajo, que le permita igualarse de partida° en la lucha por la supervivencia°. Y que a partir de ahí sea el mérito, el esfuerzo, el trabajo y el sacrificio lo que le permita a una persona ir desde lo más bajo — y eso los americanos los entienden muy bien — a lo más alto, pero también desde el más alto nivel caer al nivel más bajo si deja de trabajar, si deja de sacrificarse, si deja de° esforzarse.

shared/A...as time goes by

(here) influence

atmosphere

lecture

housing

at the start/survival

stops

JM Es un punto de vista bien interesante. Ya sabemos su punto de vista

[7] Popular Spanish dance with a rhythm similar to a march.

acerca del papel° de los militares. Pero me gustaría saber más acerca del papel de la iglesia en la nueva democracia española. *role*

AS La iglesia católica española en los últimos cincuenta años ha tenido un papel predominante en la vida política. Más o menos disfrazado°, pero ha tenido un papel importante. En la época del sistema anterior, yo fui Gobernador Civil, y yo veía perfectamente que dentro del sistema para nombrar un alcalde° era casi imprescindible el informe° del párroco° de la localidad. Y vamos a hablar ya de la transición. Hoy día la iglesia se ha portado° ejemplarmente, de un modo impresionante. La iglesia católica no es igual que antes; creo sinceramente que no lo es; creo que está haciendo una labor de entendimiento, está intentando entenderse con° el Gobierno Socialista, y creo que las relaciones son buenas. Es posible — y es normal — que la iglesia pueda manifestarse en contra de una decisión del Gobierno, porque crea que afecta su conciencia, y lo diga públicamente. El peligro que ocurre es que, dicho algo por la iglesia, automáticamente intenta ser rentabilizado° por una fuerza política... Por ejemplo, se han discutido recientemente unos proyectos de Ley de Aborto en el Parlamento y en la calle la discusión ha parecido como entre abortistas y no abortistas. Pero el tema no era ése. El tema era que cuando hay una colisión de intereses jurdicamente protegidos por la Constitución, como es el derecho a vivir, como es el derecho de la madre a la vida y a la integridad física, cuando se produce un colisión, ¿cómo se resuelve? *disguised* *mayor/report* *pastor (church)* *has behaved* *to get along (with)* *exploited*

Yo he dicho muchas veces que era un Presidente que tuvo que ejercer el poder como si fuera un equilibrista°; yo iba por un alambre° y me iban echando aceite a ver si me caía por la derecha, por la izquierda o por el centro. Es un poco la función que tenía. Aunque nuestra Constitución dice que cada Ministro es responsable de su Departamento, la verdad es que las colisiones y confrontaciones entre Ministerios son muy fuertes. No ocurre, como en Estados Unidos, que el Presidente acumula todo el poder y él decide. En España cada Departamento tiene un alto grado de independencia, pero cuando hay colisiones entre Ministerios, eso lo tiene que decidir el Presidente. *tightrope walker/ wire*

JM ¿Le interesaría ser presidente de los Estados Unidos?

AS A mí me gustaría ser Presidente de los EE.UU. Lo que pasa es que no puedo. Eso lo dije en guasa° en una conferencia en el año 82 en Washington ante doscientos generales. Dije al final eso: Ustedes influyen tanto en la política mundial que los que estamos influídos, nos gustaría también votar para elegir la persona que nos vaya a influir. *kidding*

JM Mirando hacia el futuro, tengo dos preguntas: ¿Cuál es el papel de Adolfo Suárez en el futuro de España? Y, ¿quisiera describirnos su partido político, Centro Democrático y Social?

AS Bueno, pues en la vida política presente, nosotros somos un partido progresista, que se puede calificar de° Centro Izquierda, un partido político que asume todos los valores del mundo occidental, y creemos sinceramente en el principio de libertad, en la justicia, en la igualdad, en la solidaridad.

describe as

La pretensión° nuestra, repito, es consolidar este partido político, muy frontera con° el propio° Partido Socialista, de tal manera que la alternancia en el poder permita en todo caso la existencia en España de una política progresista durante los próximos veinte o veinticinco años. No somos un partido político que vaya a prestar su apoyo° al Partido Socialista, así por las buenas°. No es verdad que seamos un apéndice del Partido Socialista. Lo que ocurre es que somos conscientes que este año no podremos ganar las elecciones y por lo tanto tendremos que pasar una etapa en que seamos un partido político que pueda decidir mucho en el Congreso de los Diputados, pero no nos vincularemos° en problemas de coalición. Porque como somos un partido que tiene vocación de partido mayoritario°, si nos vinculamos en una coalición electoral con una fuerza política más fuerte, esto acaba haciendo que desaparezcamos o en todo caso que perdiéramos el fin diferenciador°. Por lo tanto trabajamos en esa línea y yo creo que lo conseguiremos.

goal
close to/itself
lend its support
willingly
we won't be tied up/majority
(here) unique character

Ejercicios

SUBSTITUCIONES: *Usa las expresiones siguientes en vez de las palabras en letra cursiva* (italics).

realizar	Hace muchos días que no tengo
cuadrar	a corto plazo
tirar para abajo	por las buenas

1. *Llevo muchos días sin* ningún tipo de descanso.
2. Estas transformaciones no se efectúan *en poco tiempo.*
3. Desconfiaban de que yo pudiera *llevar a efecto* todo lo que prometí.
4. Los españoles somos muy aficionados a *denigrar* a la gente famosa.
5. Es la única respuesta que no *cabe.*
6. No dimitió *voluntariamente* sino porque fue obligado por las circunstancias.

Preguntas

1. ¿Quién es Adolfo Suárez?
2. ¿Por qué le consideraban un traidor algunos sectores de la vida española?
3. ¿Por qué desconfiaban de él algunos miembros de los partidos democráticos?
4. ¿Qué le pasó en el año 1980?
5. Según Suárez, ¿cuáles son algunos de los hábitos y comportamientos democráticos que él quiere conseguir en España?
6. ¿Cómo es eligido el Presidente español?
7. ¿Cuáles fueron los grupos españoles que más fuertemente se oponían a Suárez?
8. ¿Cómo se llama el partido de la oposición que había ganado las elecciones en 1979?
9. ?Por qué no quiere contar Suárez todo lo que pasó con relación a su dimisión?
10. ¿Cómo califica Suárez a su propio partido?
11. Según Suárez, ¿quiénes tienen la culpa de introducir la intolerancia en la vida política española?
12. ¿Cree él que todos nacemos iguales? Explica.
13. ¿Cuál debe ser el papel del Estado en la lucha de cada persona por la supervivencia?
14. Según él, ¿cuál es el peligro en el hecho de que la iglesia se manifiesta en contra del aborto?
15. Con respecto a sus propios ministros, ¿quién tiene más poder, el Presidente de los EE.UU. o el Presidente de España?

Conversación y opiniones

1. ¿Tenemos los americanos la misma costumbre de los españoles de tirar para abajo a toda persona que sube en el campo político?
2. Suárez habla del comportamiento democrático que incluye la tolerancia, el diálogo, el consenso y el discutir las cosas a través de las razones y no a través de la fuerza o de la descalificación de las personas, del insulto. ¿Puedes pensar en otros factores necesarios en una sociedad democrática?
3. ¿Crees que la manera de eligir un presidente español puede tener ventajas sobre nuestras elecciones? ¿Qué otros países comparten el sistema español?

4. ¿Amenaza el ejército en los EE.UU. a la democracia tal como lo ha hecho el ejército español? ¿Cómo explicas la diferencia?
5. ¿Hay grupos en los EE.UU. que también creen que tienen el monopolio del patriotismo? ¿Quiénes son?
6. Suárez habla de la intolerancia en la vida española. ¿De dónde viene la intolerancia en la vida norteamericana? ¿Cómo podemos combatirla?
7. ¿Puedes ser amigo de alguien que no comparte tus ideas políticas, religiosas, éticas? ¿Puedes ser amigo de alguien que no comparte tus gustos acerca de la música o el cine?
8. ¿Crees que todos nacemos iguales? Si no, ¿cuál debe ser el papel del Estado en cuanto a esta desigualdad? Cuál debe ser el papel del individuo para remediar su propia desigualdad? ¿Debemos permitir que alguien caiga al nivel más bajo si deja de trabajar, si deja de sacrificarse, si deja de esforzarse?

"Todo el mundo empieza a sospechar que no va a haber guerra atómica."

José María Carrascal: La ciencia-ficción como puerta al futuro

José María Carrascal es un escritor español cuya curiosidad y amor a la aventura lo han llevado a largos viajes por distintos países y a muchas actividades diversas. Ha sido oficial de la marina mercante, profesor, traductor, periodista, corresponsal de grandes periódicos españoles en el extranjero, y es ahora un novelista y ensayista muy destacado. Su novela *Groovy*, publicada en 1972, obtuvo el premio Nadal, quizá el más prestigioso de su país. Ha seguido escribiendo y publicando libros de ficción y de comentarios diversos que han dado a conocer su nombre en todos los rincones de España y en muchos países de habla española°. *Spanish-speaking*

Carrascal es un lector voraz°: lee un promedio° de un libro diariamente. Dotado de un gran sentido del humor, enamorado de la ciencia, y gran estudioso de la actualidad° política y social del mundo contemporáneo, es el testigo° ideal de nuestro tiempo. *voracious/average* *the present scene* *witness*

❧ ❧ ❧

GLORIA DURAN Vamos a hablar del libro tuyo que mejor conozco, *La muerte no existe*. Es un libro que pertenece al género° de ciencia-ficción. ¿Siempre te ha atraído este género? *type of writing*

JOSE MARIA CARRASCAL Siempre me ha atraído la ciencia; ha sido una pasión. Una de mis frustraciones es no haber seguido una carrera científica. La ciencia, creo que es un paso más alla° de las letras° en el conocimiento más exacto de la naturaleza. Pero como yo tengo más facilidad para las letras he tenido que contentarme con hacer ciencia-ficción, y no ciencia pura. *beyond/writing*

GD Y, ¿cuál es la atracción que lleva a un escritor a tratar del futuro y no del pasado o del presente?

JMC No puedo decir que trato sólo del futuro. Al tratar del futuro lo único que hago es tratar de acentuar los rasgos° más importantes del *characteristics* presente, que creo que no se ven claramente por ser parte del presente.

GD Claro, no podemos imaginar un futuro que no tenga nada que ver° con el presente. Es normal. Pues, ¿cómo se te ocurrió escribir este libro? *has nothing to do with*

JMC Bueno, como ya te he dicho, siempre me ha atraído la ciencia. Por otra parte nunca me gusta escribir un libro, sobre todo en la ficción, igual a otro. Cada una de mis novelas es completamente distinta a las anteriores. Una de las cosas que tengo que escribir ahora es una novela policíaca°. Pero en aquel momento la ciencia, con la conquista de la luna, con las aperturas — los *break-throughs* como dicen aquí — abrieron una serie de campos del espacio. Estaba en el aire escribir sobre todo eso. *detective novel*

GD ¿Y cuál fue tu punto de partida°? *point of departure*

JMC Fue una serie de artículos que tenía que escribir para el periódico sobre nuevos descubrimientos, temas que tenía que tratar diariamente para mis lectores.

GD Así, querías aprovechar° todo este material. Comprendo. Pues mi punto de partida será el título de la novela. ¿Cómo debemos entenderlo? ¿Se refiere a la teoría einsteiniana[1] de que se para° el tiempo a medida que° nos acercamos a la velocidad de la luz? Es decir, puesto que° el tiempo no pasa, no morimos. *take advantage of* *stops* *as/since*

JMC Es mucho más simple que esto. Me has sorprendido con esta explicación. De todas maneras, aunque yo no había caído en ello°, podía ser así. No, la muerte no existe. No existe, porque yo parto de° que la vida no nos pertenece a los humanos. La vida es algo que pertenece hoy a la tierra. La tierra evoluciona, pero evoluciona en conjunto°; la vida brota° de la tierra y la tierra no sería la misma sin la vida porque la vida influye en la tierra. Lo que quiero decir en mi libro es que no podemos, los humanos, decir que tengamos el monopolio de la vida. Somos una parte solamente de esta vida total. Este "yo" individual no es nada dentro del concepto general de la vida. La vida de que formamos parte infinitesimal sigue en marcha. Sigue en marcha hacia adelante o sigue en espiral, es decir, vuelve otra vez a empezar. *hadn't realized it* *my premise is* *as a whole* *springs*

GD Así tu punto de vista es el del universo, no del ser humano...

JMC Bueno, hasta cierto punto, pero no del todo°. Es que vivimos en otras personas y lo notamos cuando se nos muere un amigo, este amigo sigue operando en° nosotros. No, no existe. La muerte tal como se entendía, como un corte, la desaparición, no existe. *completely* *affecting*

GD Pues ahora me parece que estás acercándote° a una explicación religiosa. *approaching*

---

[1] Albert Einstein (1879-1955) produced the Theory of Relativity which stated the relationship between energy, mass, and the speed of light.

JMC Sin embargo, no creas que sea religiosa, por lo menos en el sentido de la religión tradicional. Una de las características de nuestra época es la desaparición o el retroceso de las grandes religiones. A pesar de los *new-born Christians* y el Islamismo radical que vemos hoy día. A mi parecer todo esto no quiere decir que la religión tenga un reauge° sino que es una forma de defenderse ante el peligro de extinción. La religión tuvo una enorme importancia en el pasado hasta el punto de que lo fue todo. Al principio de la historia del hombre la religión servía para todo. Pero hoy sirve cada vez menos. El límite de la religión va siendo ocupado por la ciencia, por la moral, por la propia política°.

rebirth

por...*even by politics*/*the staging*

GD Sin embargo, el andamio° de la novela es una versión nueva del libro de *Génesis*.[2]

JMC En efecto. Adán y Eva aparecen en él. Eso recuerda la idea de que el pasado está en el futuro. Pero esta idea no es religiosa. La he tomado de *Génesis* para decir que esta verdad es eterna. Pero ¿hasta qué punto es religioso el libro de *Génesis*? Solamente en el sentido de que una religión lo ha inventado. Pero éste era el momento en que la religión lo era todo. Por eso no la llamo religión. La llamo conocimiento total, filosofía total. Dios era todo lo que no conocía el hombre. Pero en el momento cuando encontraba la explicación de algo (los rayos del relámpago°, por ejemplo) Dios desaparecía de esta cosa. Así Dios ha ido limitándose. ¿Qué es Dios ahora? Lo que todavía no conocemos.

lightning

GD Bueno, bastante de religión. Es verdad que tu libro me parece muy metafísico, muy filosófico, pero también muy cómico. Para nuestro libro hemos escogido uno de los muchos capítulos que transcurren° en distintas épocas del futuro, y que se titula "El Capitán del Espacio". Es la historia de un hombre que inventó un nuevo empleo para sí mismo, un empleo que consistía en dibujar anuncios en el espacio. Pintaba los anuncios con su propio cuerpo como un gran pájaro iluminado. Es *Madison Avenue* llevado al extremo. ¿Cómo inventaste este episodio?

take place

JMC Se me ocurrió simplemente viendo hacer maniobras propagandistas a una avioneta° sobre *Jones Beach*. Había alguien anunciando no sé qué producto sobre el aire y yo me dije, "cuando el hombre no viva sólo en la tierra habrá gente también que se dedique a hacer anuncios y tendrá que ir al espacio para hacer estas mismas piruetas° que este señor está haciendo aquí ahora con el tubo de escape de gas."

viendo... *watching a small plane skywriting*

circles

GD ¿Y no pensaste desde el principio en el mito de Icaro?[3]

JMC Se me ocurrió al final, pero de veras° no me acuerdo muy bien de

really

---

[2] *Genesis*, first book of the Old Testament.

[3] Icarus, according to Greek legend, flew too close to the sun and his wax wings melted, thus plunging him into the sea.

todos los detalles de este episodio.

GD Pues, debo recordarte tu propio cuento. También hablaste acerca de cómo la gente iba a inventar nuevos empleos por causa de la escasez° de trabajo en que entretenerse°. ¿Estás muy preocupado por eso, por la superpoblación° y la escasez de trabajo que vemos ahora? *scarcity/to keep busy/overpopulation*

JMC Creo que son dos problemas distintos. Por una parte la superpoblación, y por otra el desempleo. No necesariamente tienen que ir unidos°. Creo que el problema de la superpoblación se ha enfocado° mal. El problema más grande hoy que puede afectar el mundo industrializado no es que nazca mucha gente sino que nazca demasiado poca y el envejecimiento° de la población. Así que los pocos que trabajan no trabajan lo suficiente para pagar la renta° de la gente jubilada°. *together/focused* *aging* *expenses/retired*

GD Pero tú estás hablando del mundo desarrollado, no del Tercer Mundo.

JMC El Tercer Mundo es otra cosa completamente distinta. En el Tercer Mundo se ha roto el equilibrio natural de la vida. Por una parte la medicina moderna ha vacunado° a la gente y ha prolongado las expectativas de vida°. La mortalidad infantil no tiene comparación con antes, cuando sólo un niño de cada veinte sobrevivía. Pero, aunque las técnicas modernas de conservación de la vida han aumentado, las técnicas de la alimentación° no han aumentado. Eso crea un choque frontal tremendo. *vaccinated* expectativas... *life expectancy* *food production*

GD Y la solución: ¿no incluirá algún control de la natalidad?° *birth*

JMC Aunque no les da las formas de desarrollarse°, la fórmula **es** el control de la natalidad. Pero no es sólo el repartir píldoras° o la esterilización; el mundo desarrollado cree que con enviar medicinas y *baby food* cumple con su deber°. No, señor. Hay que hacer que esta gente sepa después cómo desarrollarse, crear su industria, porque si no, estamos multiplicando en una forma bestial a esta gente. Sin embargo, creo que el control de la natalidad que se impone por fuera° es un control forzado, y además, fíjate, no está surtiendo° efecto. *develop* *giving out pills* cumple... *it fulfills its duty* *from without* *producing*

GD ¡Qué triste!

JMC No surte efecto porque el control de la natalidad tiene que venir de por sí°. *from within*

GD ¿Y si no viene?

JMC Creo que al final la naturaleza encuentra formas. No la naturaleza, la vida se las arregla°, no sé cómo. Quizás la fórmula que se nos presenta ahora es mirar la televisión, ver a estos niños muriéndose de hambre. *takes care of things*

GD ¿Esta es la fórmula de la naturaleza, pasar hambre y morir?

JMC No, nosotros los vemos. Nos percatamos° aquí de aquella tragedia y empezamos a pensar en ello. *we become aware of*

GD Pero si lo que hacemos — es decir, mandarles la técnica para controlar la natalidad — no les agrada, ¿qué más podemos hacer?

JMC El problema es tremendo y creo, como dicen los ingleses, que tiene que ponerse peor antes de que se mejore. Es que estamos llegando a una situación límite° en esto. *critical point*

GD Bueno, ahora estamos hablando de la política, que es tu especialidad. En vez de hablar de los próximos ocho mil años, cuando, según tu libro, el mundo de Adán y Eva empezará de nuevo, hablemos del futuro próximo. En la novela describes la fundación de ciudades satélites en el espacio y de guerras atómicas entre estas ciudades. Pero no hablas de una guerra atómica inmediata sobre la tierra. ¿Piensas que estamos en peligro de una guerra atómica durante nuestras vidas?

> *"Yo creo que la inteligencia ya es una cualidad de la hermosura."*

JMC Escribo casi a diario sobre la Tercera Guerra Mundial. Pero personalmente creo que no va a haber guerra atómica. Es que ha habido° miles de ocasiones de que hubiera guerra atómica y sin embargo no ha surgido°. ¿Por qué? Una de las razones fundamentales es que toda guerra se inicia con la esperanza de ganarla. Hoy ni siquiera° el más loco general o estadista° se lanza° a un conflicto armado para perderlo y en una guerra atómica ambos contendientes° saben que, incluso saliendo vencedores, los daños que habrán sufrido les impedirán saborear° su victoria e incluso hablar de ella, ya que pueden quedar aniquilados°. En la ONU[4] todo el mundo empieza a sospechar que no va a haber guerra atómica. Pero naturalmente una guerra atómica puede surgir por un falso cálculo o por un error, aunque no creo que eso sea probable.

there have been
happened
not even
statesman/rushes into/both contenders
enjoy
annihilated

GD Pero ¿no sería posible que una guerra convencional, digamos en el Oriente Medio, se convierta en guerra atómica?

JMC No lo creo. Hay un umbral° entre la guerra atómica y la guerra convencional. No se puede confundirlas. Ha habido muchas guerras desde 1945, un número espeluznante°, ninguna se convirtió en atómica. Los frenos son enormes. Incluso me atrevo a decir algo más: si los rusos y los norteamericanos no se han enzarzado° ya en una guerra es precisamente por tener la bomba atómica, no por no tenerla. Si no la tuvieran, pienso que esa guerra sería ya historia. Déjame decirte otra cosa. Mucho me temo° que la guerra atómica esté convirtiéndose en una coartada° de mucha gente. Hablan siempre de guerra atómica en un posible futuro y no hablan de las otras guerras horribles que están

threshold
hair-raising
become entangled
I fear
alibi, excuse

---

[4] Organización de las Naciones Unidas, *United Nations.*

ocurriendo. Es muy fácil condenar la guerra atómica, pero ¿por qué no se condena toda clase de guerra?

GD Cierto, y los que mueren en una guerra convencional quedan igualmente muertos como si fuera una guerra atómica. Vamos a hablar de cosas más agradables... A pesar de los peligros que conocemos ahora tan bien, ¿te interesaría ser miembro de la tripulación° de un cohete° a otro planeta?

crew
rocket

JMC ¿Por qué no? Eso le interesaría a cualquiera. Lo que no sé es si sería capaz de resistir las pruebas° cuando leo lo durísimo que es el entrenamiento de un astronauta y no sé si estoy en condiciones para esta aventura.

capaz...*capable of passing the tests*

GD Pero en espíritu, sí.

JMC Sí, en espíritu. Eso de ser el cronista° de una de estas aventuras debe ser una maravilla.

reporter

GD Fíjate en las radioemisiones fantásticas que podrías dar a la gente atascada en un lío de tránsito° en la tierra. Supongo que no habrá líos de tránsito en el espacio todavía.

tied up in a traffic jam

JMC Supongo que no. Pero los cronistas de estas aventuras tendrán el problema de explicar lo que ocurre sin experiencia previa por parte de sus lectores. ¿Cómo pueden explicar la atmósfera de Júpiter, que es completamente distinta de lo que conocemos? No va a ser fácil la descripción.

GD ¿Tú crees que vamos a encontrar seres° inteligentes fuera de la tierra?

beings

JMC Habrá que definir primero qué es la inteligencia. Yo creo que es un producto de la naturaleza. Hay una inteligencia de las plantas y de todos los seres vivos... Entonces habrá una inteligencia adaptada al medio° de cada planeta y de todos los seres vivos. Solamente si entre estos miles de millones de mundos alguno ha evolucionado exactamente como la tierra, tendrán una inteligencia exactamente como la nuestra; pero eso es muy difícil porque cualquier cambio que haya ocurrido de un cromosoma, en un momento determinado, habrá encauzado° la vida en otro sentido°.

environment (here)
channeled/direction

GD Entonces no vamos a reconocerlos como a otros seres humanos.

JMC Dependerá del grado° de afinidad. Dependerá de si la evolución de su vida ha sido lo suficientemente prómixa a la nuestra.

degree

GD Bueno, y si yo pudiera darte una garantía de que si murieras ahora mismo volverías a nacer en cien años, ¿estarías dispuesto a morir?

JMC (se ríe) Es una opción la mar de° atractiva y en principio diría que sí. Pero, pensándolo bien, creo que va a haber un problema muy grande. Como hemos dicho, somos productos de nuestros pasados. Y todos estos hombres que se dejan congelar° para resucitar cuando se

extremely
to freeze

descubra la cura de la enfermedad que les aqueja° se van a encontrar tremendamente desorientados con la realidad que los rodeará°.

afflicts
will surround

GD A lo mejor añorarán° el pasado.

will long for

JMC Es verdad. No, no acepto tu oferta. Es mejor quedarse en el presente. Y además, primero tendrías que garantizarme de verdad que iba a resucitar.

GD Veo que no me tienes confianza. Bueno, José María, si tú fueras miembro de un grupo de exploradores terrestres que encontraran seres muy inteligentes pero muy feos en otro planeta, ¿cuál sería tu actitud? ¿Qué tratarías de comunicarles?

JMC Déjame decirte primero, Gloria, que no creo que se pueda ser muy inteligente y muy feo. Yo creo que la inteligencia ya es una cualidad de la hermosura°. Y cada uno se da más cuenta° conforme° avanza la vida. Pues, en cuanto a° mi actitud, será de enterarme° lo más pronto posible de cómo son ellos. Más que contarles de la tierra les preguntaré a ellos acerca de estos problemas de aquí que no hemos sido capaces de resolver. Por ejemplo, ¿cómo ven ellos la soledad, el amor? ¿Cómo han resuelto el problema de la comunicación?

beauty/realizes/ as/as for/to find out

GD Tú eres corresponsal siempre.

JMC Es una deformación profesional.

GD Así no habrá tiempo para comunicarles nada si usas todo el tiempo en tus investigaciones.

JMC Seguramente ellos tendrían curiosidad por saber algo de nosotros y procuraría contestarles.

GD ¿Y dirías la verdad acerca de la tierra?

JMC Yo te contestaré con otra pregunta: ¿Qué es la verdad? Diría la verdad hasta cierto punto. Pero es un problema que tenemos los periodistas cada día. Tengo una columna y tengo que explicar un problema muy complejo. Si lo digo sucinto° no digo la verdad porque no decir toda la verdad no es decir la verdad. Pero si me pongo a hacerlo muy minucioso°, se aburren y no me leen. Entonces hay que buscar un equilibrio. Pero al fin y al cabo° la tierra es el planeta más bonito que existe. No creo que tenga que envidiar a ningún otro. Así estaría muy orgulloso° de la tierra. Nada más hay que ver estas fotos de la tierra y de otros planetas para ver que la tierra es el más bello de todos.

compactly
in great detail
after all
proud

GD Veo que vas a ser muy nacionalista como ser terrestre.

JMC Efectivamente, creo que el hombre que salga de la tierra va a tener una gran nostalgia de la tierra.

GD Quizá resultará como en tu novela que la gente regresa al casarse para pasar aquí su luna de miel°, o, mejor dicho, su tierra de miel.

honeymoon

JMC Sí, será un privilegio enorme regresar a la tierra.

Ejercicios

VOCABULARIO: *Expresa los conceptos siguientes en español.*

- birth control
- overpopulation
- nuclear war
- infant mortality
- food production technology
- World War III
- Third World countries

Preguntas

1. El futuro, ¿cómo lo visualiza Carrascal?
2. ¿Por qué dice él que no existe la muerte?
3. ¿Qué opina Carrascal acerca de la religión?
4. Según él, ¿quién o qué es Dios?
5. ¿En qué consiste el problema principal del Tercer Mundo?
6. ¿Qué opina él acerca del control de la natalidad en el Tercer Mundo?
7. ¿Cree Carrascal que habrá una guerra atómica? Explica.
8. ¿Qué opina Carrascal acerca de la probabilidad de encontrar seres como nosotros en otros planetas?
9. ¿Cuál es su opinión acerca de nuestra tierra?

Opiniones

1. En tu opinión, ¿será el futuro muy parecido al pasado? Explica.
2. ¿Compartes la opinión de Carrascal acerca de la no existencia de la muerte?
3. ¿Cómo ves el futuro de la religión? ¿Qué importancia tiene la religión en tu vida?
4. En tu opinión, ¿cuáles son los problemas más grandes que amenazan la civilización hoy día?
5. ¿Estás de acuerdo con Carrascal cuando habla del control de la natalidad? Explica.
6. ¿Compartes su opinión acerca de la posibilidad de una guerra atómica?

Conversación

1. ¿Eres aficionado(a) a la ciencia-ficción? Explica por qué te gusta o no te gusta.

2. ¿Qué clase de libros te interesan más, los que tratan del pasado, del presente o del futuro? Explica.
3. ¿Qué opinas de los anuncios comerciales? ¿Hay algunos mejores que los otros? ¿Cuáles son tus favoritos? ¿Compras los productos que ves anunciados en la televisión?
4. ¿Te preocupan los problemas del Tercer Mundo? ¿Te gustaría viajar por alguno de aquellos países? ¿Cuál?
5. ¿Por qué te gustaría o no te gustaría ser miembro de la tripulación de un cohete destinado a otro planeta?
6. ¿Cuál sería tu actitud ante un ser no terrestre y completamente distinto a ti?

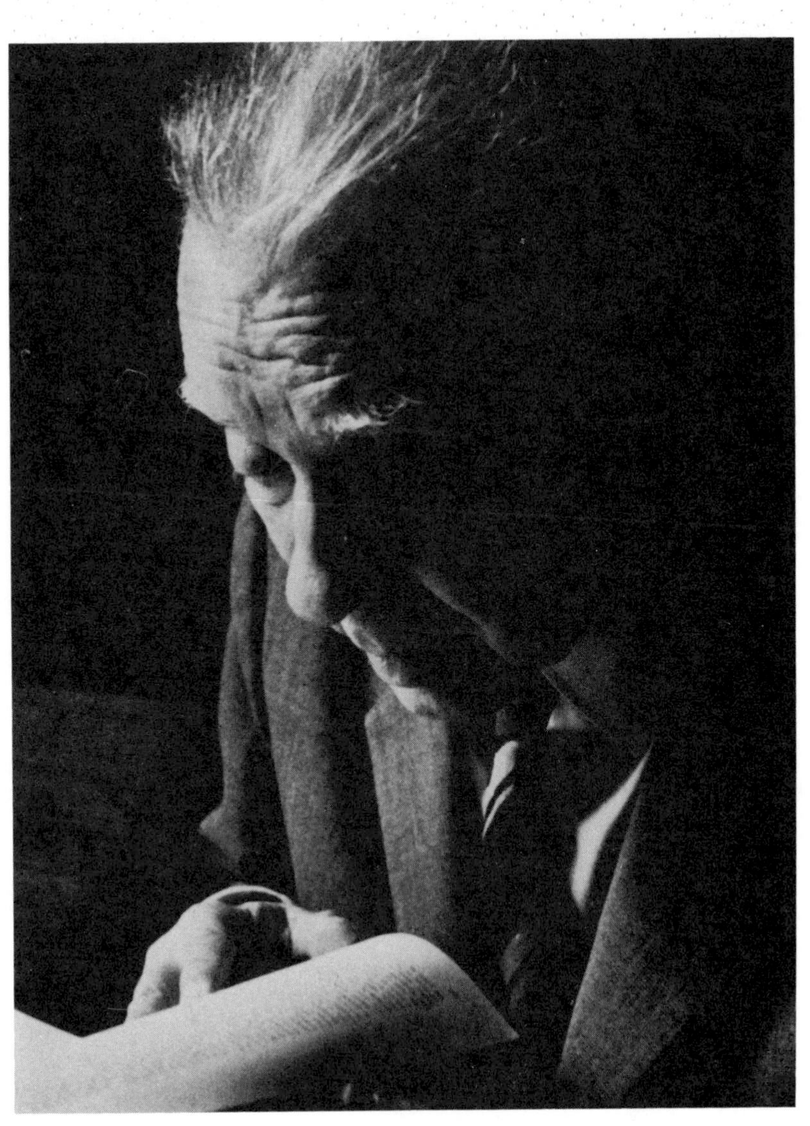

"...es un absurdo pensar que las máquinas van a resolver las cosas."

Jorge Luis Borges, un argentino universal, nos habla del futuro

Es absurdo clasificar a los escritores según un orden estricto y decir: "Este escritor es el mejor," como si fueran caballos de carrera°. Pero si tuviéramos que clasificar a los escritores de nuestro tiempo que escriben en español, es muy probable que Borges ocuparía el número uno. Era quizá, el más conocido, el más admirado internacionalmente.[1] Nacido en Buenos Aires en 1899, estudió en Argentina, Inglaterra, y Suiza (en este último país durante cinco años). Fue profesor de literatura inglesa en la Universidad de Buenos Aires, presidente de la Asociación Argentina de Escritores, director de una casa productora de películas, y director de la biblioteca nacional. Fue perseguido por sus ideas políticas durante la época del General Perón[2] (1945-1955). Más tarde aún, su obra alcanzó una resonancia mundial. Traducida a numerosos idiomas, ha influido en otros autores más jóvenes y es objeto de innumerables estudios críticos.

race horses

Borges es, ante todo, un poeta, incluso cuando escribe cuentos, pero son sus maravillosos relatos en prosa los que lo han hecho famoso. Su imaginación, su rigor, su técnica, no tienen rival. Muchos de los temas de Borges son tradicionales, pero la manera de tratarlos es sorprendente, brillante, originalísima. Sus temas favoritos son el infinito, el eterno retorno, la posibilidad de que todos los hombres sean uno solo, la modificación de lo real por lo irreal, el universo como laberinto y, también, la reversibilidad del tiempo, o por lo menos la posible paralización del tiempo. Muchas veces sus cuentos parecen nacer de una imagen que contiene múltiples sentidos, una imagen a la vez poética y filosófica que nos revela las ambigüedades del tiempo y la eternidad, del espacio y el infinito, del

---

[1] Borges murió en 1986.

[2] Juan Domingo Perón (1895-1974), populist, demagogic Argentine President and political leader.

sueño y la vigilia°, de la vida y la muerte. Sus visiones nos acercan al misterio de la creación; no resuelven este misterio pero, al comunicarnos su complejidad, su grandiosidad, nos hacen sentirnos parte de un todo°.

wakefulness · *a totality*

Paradójicamente, para expresar una imaginación sin límites, Borges emplea el más preciso de los lenguajes, un estilo donde todo está medido y calculado como en un juego de ajedrez°, en un reloj, o un aparato de precisión para medir experiencias° de laboratorio. La imaginación poética de Borges está siempre controlada por un espíritu estético que sabe canalizarla° y darle un sentido poético y metafísico. Quizá los mejores libros de cuentos siguen siendo *Ficciones y El Aleph*, los que escribió en 1944 y 1949, al principio de su carrera° como cuentista. Pero más justo sería afirmar que todo, hasta la última línea, en la obra de Borges, es de la más alta calidad literaria.

chess · *experiments* · *channel it* · *career*

La siguiente entrevista fue llevada a cabo° especialmente para *Autorretratos y espejos* por Susana Chica Salas, crítica literaria y discípula de Borges en la Facultad de filosofía y letras de la Universidad de Buenos Aires.

carried out

Dos observaciones finales: 1. a Borges le encantaba emplear algunas frases y expresiones en inglés, incluso cuando hablaba en español; y 2. algunas de las opiniones de Borges suelen desconcertar, asombrar, o irritar a sus interlocutores°.

listeners

Llego a mi destino, el sexto piso de una casa moderna cerca de la Plaza San Martín, en Buenos Aires. Un simple letrero de bronce° en la puerta dice, en letras negras, BORGES. Me siento inquieta y curiosa. Hace dos años que no veo a Borges. Me abre la sirvienta, Fanny, que lleva ya muchos años con la familia. Son las seis de la tarde, una tarde fría de invierno bonaerense°. La sala está totalmente oscura. Al principio me imagino que allí no hay nadie. Luego Fanny enciende las luces, y Borges reconoce mi voz. (Casi se me olvidaba que su ceguera° es ahora total.) Me saluda afectuosamente, recitando un viejo poema de bienvenida en anglosajón, con su tono especial, casi hipnótico, casi ritual. Físicamente sigue tan atractivo como siempre. Sus grandes ojos son de un verde muy claro, como los de su madre. Se pasea por la sala con facilidad: cada objeto, cada mueble, le es familiar; sabe evitar sillas y mesas. Nadie diría, al verlo, que está ciego. Nos sentamos los dos en el sofá de terciopelo oscuro° y empezamos a conversar. Cuando se da cuenta° de que estoy grabando° la entrevista se interrumpe y me pide que volvamos a empezar desde el principio y repito la primera pregunta. Esta vez su respuesta es precisa, equilibrada°, bien compuesta. Dice exactamente lo que quiere expresar, como cuando solía° dictarme, hace de esto bastantes años°, sus famosos cuentos. Habla con

bronze plaque · *Buenos Aires winter* · *blindness* · *dark velvet* · se... *realizes*/ *taping* · *measured* · *used to* · *many years ago*

rapidez — al contrario de su ritmo en sus conferencias° públicas — y sus manos, siempre expresivas, revolotean° por el aire cada vez que quiere subrayar una idea. Pero el resto de su cuerpo permanece inmóvil. Con el bastón° entre las piernas, me mira fijamente, sin verme, y habla. Su aspecto es saludable°: nada en su expresión revela una nota trágica o patética. Con personas que conoce bien, se siente a gusto°, se complace en contar chistes° o hacer juegos de palabras. Le encantan los chistes políticos; se ríe sonoramente°, con deleite°, tras cada chiste o tras una observación ingeniosa. Pero si la persona que lo entrevista — como ocurre con frecuencia — le es desconocida, se mantiene tenso, casi molesto°, como si su público fuera una muchedumbre exigente°. En cambio conmigo se siente a gusto, y se permite comentarios difíciles de publicar, ya que implican a otras personas que viven todavía, o enjuician° con gran dureza° lo que estas personas han escrito. Lo esencial es que sigue siendo tan ingenioso y tan irónico como en el pasado. Es uno de los conversadores más simpáticos y divertidos que conozco. Pocos pueden transmitir a su interlocutor una sensación tan clara de inteligencia alerta y profunda, un pensamiento generoso, y una selección cuidadosa de palabras, hecha siempre con originalidad. Su forma de expresar y organizar la vastísima cultura que posee es tan discreta que uno no se da cuenta de que esa cultura está allí, en él, animando y dirigiendo su pensamiento. Su excelente memoria le permite citar° las fuentes° más diversas para ilustrar una idea, un comentario. Borges y yo seguimos charlando:

lectures
dart around
cane
healthy
comfortable
tell jokes
loudly/joy
annoyed
demanding crowd
judge/harshly
quote
sources

SUSANA SALAS Borges, ¿Piensa usted más frecuentemente en el pasado que en el futuro?

JORGE LUIS BORGES Sí, pienso en el pasado porque el pasado es real. El pasado está lleno de personas interesantes, por ejemplo, Stevenson[3], por ejemplo, Platón[4], por ejemplo, Swedenborg[5], por ejemplo, Berkeley[6].

---

[3] Robert Louis Stevenson (1850-1894), novelist and short story writer; born in Scotland. Stevenson, the author of *Treasure Island*, is one of Borges' favorite writers.

[4] Greek philosopher (427-348 BC) who thought that the idea or form of a thing has a real existence and is the unchanging reality behind the changing appearance.

[5] Emanuel Swedenborg (1688-1772), philosopher and theologian, born in Sweden.

[6] George Berkeley (1865-1753), Irish philosopher and bishop, author of numerous essays in which he explains that nothing exists independently of our perception of its existence.

SS Pero quizá el futuro también esté poblado° de gente interesante... *populated*

JLB Sí, ya sé. Pero como no los conozco, como no me han sido presentados°... *introduced*

SS Sí, es cierto.

JLB Lo único que sé del futuro es que no se parecerá al presente. Además que hablar del futuro es simplificar demasiado las cosas. Habrá muchos futuros que no se parecerán entre sí°, de igual modo, digamos, que el siglo dieciocho no se pareció al siglo diecisiete. Yo no puedo interesarme en algo tan abstracto como esto. Yo soy una persona casi incapaz° de pensamiento abstracto. no... *will not resemble each other* / *incapable*

SS Caramba, pero eso que usted me dice es rarísimo°... *very strange*

JLB No, no, en absoluto. Usted ve que aunque a mí me ha interesado mucho la filosofía y la metafísica, al fin de todo, eso es una serie de perplejidades organizadas, o si no, formas de literatura fantástica, como en el caso de la teología...

En todo caso, el pasado me parece más real. Desde luego, el futuro depende del presente, en función del futuro°. Por ejemplo, hay un libro que no admiro demasiado, *Brave New World*[7], que no se parece en nada a lo que puede ser el porvenir°; es simplemente un presente exacerbado. Además, no está hecho — a la manera de Wells[8] — a modo de° profecía, sino que es una sátira del futuro. en... *acting as a future* / *future* / *as*

SS Entonces ¿usted no cree que ese mundo de nuestro futuro se parecerá al mundo de *Brave New World*?

JLB Claro que no, porque el mundo de *Brave New World* se parece demasiado al mundo del siglo veinte. Por ejemplo, la gente, hoy día, está muy interesada en *party politics*. En un futuro, quizá dejen de estar° interesados en esto. Yo he vivido cinco años en Suiza. Cuando llegamos, pregunté quién era el presidente; la gente me miró extrañada° porque nadie sabía quién era... *stop being* / *perplexed*

SS Pero eso es increíble...

JLB No, porque en Suiza los políticos no son personajes públicos. Son funcionarios que ejercen sus funciones, pero nadie se ocupa especialmente de ellos. Yo recuerdo que en la movilización del año 1914 se movilizaron doscientos mil hombres pero había sólo tres coroneles en el ejército, y uno de ellos aceptó ser general con una condición: que no le aumentaran el sueldo°. Y en Ginebra°, que era una ciudad de, digamos, ciento sesenta mil habitantes, había un comisario y dos vigi- *salary/Geneva (Switzerland)*

---

[7] *Brave New World*, futuristic novel written by Aldous Huxley, the British novelist (1894-1963) in 1932.

[8] H. G. Wells (1866-1946), English author who wrote *The Time Machine, The War of the Worlds, The Invisible Man,* and many other novels.

lantes°. Entonces en el mundo que se dará° eventualmente, la gente dejará de estar interesada en todo esto. Estará interesada en otras cosas: en la filosofía, la ciencia y ¿por qué no? el ajedrez° también. Quiero decir — y esto quizá sea inevitable — que nosotros tendemos a considerar el futuro desde el punto de vista del presente. Por ejemplo, vamos a suponer una persona durante la época del protestantismo: habría pensado que en el siglo veinte lo que interesaría a la gente sería el hecho de si alguien es discípulo, bueno, discípulo de Calvino[9] o de Wycliffe[10], o de Lutero[11] o simplemente católico. Y ahora esto, como usted sabe, no interesa a nadie. Supongo que con el porvenir, o con los porvenires, porque esa palabra de porvenir me parece, bueno, *too sweeping a statement*... el futuro tendrá sus problemas propios. Ahora nos interesa la tarea° de llevar hombres a la luna. Pero llegará, indefectiblemente, ese momento, y ya Spengler[12] lo ha dicho, en que al hombre le interesarán cosas que no podemos imaginar ahora, de igual modo que Platón no pudo imaginar lo que sería el mundo actual.

watchman/que... *which will be*

chess

task

SS Pero a usted, entonces, ¿no le interesaría en absoluto vivir en el mundo del siglo treinta?

JLB No, porque no entendería nada. La gente estaría interesada en temas que no podrían interesarme a mí. Desde luego, creo que los problemas de la filosofía son insolubles°, porque yo soy agnóstico...

unsolvable

SS ¿Usted es agnóstico?

JLB Sí, claro. Creo que esos problemas se plantearán° dentro de mil años de un modo distinto que yo no podré comprender, de igual modo que yo no sé hasta qué punto Platón hubiera podido seguir los argumentos de Berkeley, o Berkeley entender los de Bergson[13], o, en general, el mundo de Henry James[14].

will be raised

SS Borges, usted dice en uno de sus cuentos, "Como a todos los hom-

---

[9] John Calvin (1509-1564), French theologian who founded the Protestant doctrine of Calvinism.

[10] John Wicliffe, also Wycliffe (c. 1324-1384), English scholar and reformer, papal critic and precursor of Luther.

[11] Martin Luther (1483-1546), German monk who became the first great leader of the Protestant Reformation.

[12] Oswald Spengler (1880-1936), German scientist and historical philosopher; author of *The Decline of the West* (1918-1923) in which he sees Europe in the final stage of a cycle leading to decline and ruin.

[13] Henri Bergson (1859-1941), French philosopher, winner of the Nobel prize for literature and author of *Time and Free Will* (1889) and *Creative Evolution* (1907).

[14] Henry James (1843-1916), American novelist and author of *Portrait of a Lady* (1881), *The Ambassadors* (1903), and many other novels.

bres, le tocaron tiempos difíciles en que vivir".° — le... *he lived in a difficult time*

JLB Sí, eso es verdad...

SS ¿Se acuerda de eso? ¿Sigue pensando que todos los tiempos serán difíciles, todos los tiempos del futuro?

JLB Sí, para ellos sí, definitivamente. Pero todo esto ya lo discutió Schopenhauer[15], que dijo que el presente es siempre difícil, porque lo vivimos como un conflicto. En cambio, el pasado es algo que uno ve como una lámina° o como un cuadro; es decir, del pasado está ausente la voluntad°. Vemos el pasado con todo gusto. Hasta podemos pensar románticamente en épocas atroces°, como la época de la dictadura de Rosas[16] aquí, como en algo pintoresco°. Quizá nuestra época sea vista como pintoresca en el porvenir. Pero nosotros, que tenemos que vivirla, no la sentimos como pintoresca, la sentimos como atroz.

engraving / *will* / *terrible* / *picturesque*

Un caso bastante reciente. Los contemporáneos de Napoleón vivieron bajo un sistema policíaco°, pero luego vino Victor Hugo[17], luego vinieron los románticos, y todo eso se vuelve una época espléndida, ciertamente no una época para padecer°.

police state / *to suffer through*

SS ¿Cree usted que los seres humanos no cambian? ¿Que no habrán aprendido a ser menos agresivos o menos violentos?

JLB No, pero tendrán otros problemas. Por ejemplo, es probable que desaparezcan las guerras. Podrá llegarse a considerar un gobierno central, o a una situación donde no se necesite gobierno.

SS Pero no existen naciones donde no se necesite gobierno...

JLB Pero ya hay países, como los países escandinavos, donde no hay criminalidad. En Islandia° tampoco. Usted me dirá que hay otras cosas, como por ejemplo alcoholismo...

Iceland

SS Y también un índice altísimo de suicidios...

JLB ¡Ah! Pero esas son personas que demuestran buen sentido. No esperan a que les suceda nada°.

a... *for something to happen to them*

SS Sí, quizá sea un síntoma de inteligencia.

JLB Claro, yo creo que sí. Eso de suicidarse es lo más sensato° y lo más calmoso que pueda hacerse. Una prueba de serenidad. Y hablando de suicidio, creo haber leído en Schopenhauer, quien cita en *Paralipómena*, en su artículo *Über der Selbsmord*°, que había una ciudad en Grecia

sensible / *On Suicide*

[15] Arthur Schopenhauer (1788-1860), German philosopher and author of *The World as Will and Idea* (1819).

[16] Juan Manuel Rosas (1793-1877), Argentine dictator whose cruelty and ruthlessness are proverbial. He ruled the Buenos Aires region from 1835 to 1852.

[17] Victor Hugo (1802-1885), the celebrated French poet and novelist who was one of the leaders of the Romantic movement in France and wrote *Les Misérables, Notre-Dame de Paris,* among other works.

donde la gente que creía tener motivos para suicidarse, podía exponer su caso ante un tribunal. Digamos, gente con una enfermedad incurable o lo que fuera°. Y si el tribunal juzgaba que estaba bien, que tenían razón, se les entregaba la cicuta°. Y esto no era mal visto° porque en general, el suicido ha sido muy mal visto, digamos, por el Cristianismo. Y es raro. El Cristianismo, que cuenta con° un Dios suicida (porque se entiende que Cristo se suicidó, ya que Cristo podía hacer milagros), sin embargo hace que se venere la cruz, que es el instrumento del suicidio de Jesús.

or whatever
hemlock poison/ frowned upon
cuenta... *has (here)*

SS Bueno, quizá, como en su cuento "Utopia para un hombre que está cansado°,"[18] puede existir el suicidio como una salida de elección°.

exhausted/option

JLB Sí, exactamente. Allí, cuando él siente que ha agotado sus posibilidades, cuando está cansado, se suicida. Además, y esto me parece una idea muy buena, *in order not to encumber the future*, hace que toda su obra sea destruida con él. Yo he sido amigo de muchos suicidas, he sido lejanamente amigo de Lugones[19]... lejanamente, digo, porque Lugones era un hombre soberbio°, solitario... pero yo no pienso en ellos como personas culpables°. El caso de Lugones es interesante. El se jactaba° de ser el marido más fiel° de Buenos Aires, y era, además, un puritano. Incluso parece que llegó virgen al matrimonio. Luego, cuando se enamoró de una mujer y ésta lo abandonó, se suicidó.... Pero debiera haber sabido que esas cosas pasan con el tiempo, y que, sin duda, él también había dejado a muchas mujeres. Pero claro, su problema, creo yo, es que se sentía admirado, pero no querido. Y ser querido es muy importante. Ser admirado y no ser querido es muy triste.

proud
guilty
boasted/faithful

SS Entonces, Borges, ¿a usted no le interesa ser célebre?

JLB No, claro que no, más bien lo veo como una forma de incomodidad. Siempre me ha sorprendido el interés de la gente por la fama. Ahora se ha inventado una palabra que a mí me parece casi infame: promocionar°. Una escritora amiga me dijo, yo voy a tal congreso°, son todos una serie de canallas° o de imbéciles, pero lo necesito para mi promoción. ¿Para qué seguir dialogando con gente así?

to promote/conference/rascals

SS Bueno, pero es verdad, son las sociedades del autobombo mutuo°. Pero hay una pregunta que a mí me gustaría hacerle sobre el futuro. ¿Cree usted que se seguirá hablando de amor, se seguirá hablando de

mutual admiration

---

[18] A short story from Borges' *El libro de arena*, Buenos Aires, *EMECE B.A.*, 1975.

[19] Leopoldo Lugones (1874-1938), distinguished Argentine poet and essayist who wrote among many other works *La guerra gaucha* (prose) and *Lunario sentimental* (poems). He committed suicide.

amistad?

JLB Pero desde luego, ¿cómo no se va a hablar de eso?

SS No sé, porque hay gente que opina que podrá haber un control biológico, un control administrativo, por ejemplo...

JLB ¡Ah! pero son personas muy pesimistas. Además sería muy raro un hombre que no necesitara amor o no necesitara amistad. Sería un ser° rarísimo. Y si es así, ¿para qué conocerlo, qué nos importa lo que le pase?

being

SS Hay gente que habla de una sociedad de robots, totalmente mecanizada.

JLB Sí, pero es que la idea de la máquina es una idea actual°. Va a ver usted que no va a interesar en el porvenir. Frankenstein es también una idea actual, igual que el robot. A menos que se los utilice para ciertas tareas, eso podría ser.

current

SS ¿Cree usted que se podría limitar la educación a unas cuantas° personas capaces de programar máquinas cibernéticas?

a few

JLB Pero es un absurdo pensar que las máquinas van a resolver las cosas. Usted ve, cuando empezó el cine yo recuerdo que se dijo que iba a ser la muerte de los actores. Pero no se ve gente que aplauda un fonógrafo o una máquina de fotografía. Se aplaude más bien un actor. Uno no dice, tal cosa es cierto; lo dice la radio. Es como si usted me dijera, tal cosa es cierto; lo dijo el teléfono. Es absurdo.

> *"...es probable que desaparezcan las guerras."*

SS ¿Cree usted que no será un crimen ser individual? La famosa masificación° de la cual se habla ¿no existirá en el futuro?

mass culture

JLB Creo que cuando yo estaba en un congreso en Washington alguien me dijo ¿qué opina usted de la masa? Y yo le contesté: yo no entiendo de conceptos abstractos, pregúnteme sobre algún individuo, porque la masa no existe, y además a la gente no le gusta sentirse masa.

SS Entonces habrá literatura...

JLB Pero claro, y música y pintura. La literatura es una de las necesidades del hombre. El arte, la pintura sin duda, van a ser mucho más complejos° que ahora. Con todo respeto por Homero, creo que un cuento de Henry James es mucho más complejo, aunque no superior. Las artes, para desarrollarse°, estarán más allá° de lo que nosotros podamos entender. Serán una cosa distinta°. Es lo que sucederá con la gente. Si se mantiene la cronología actual, no creo que el siglo, digamos, veinticuatro se entienda muy bien con° el siglo veintitrés. Tampoco me imagino a un poeta anglosajón o a un escritor escandinavo del siglo veintitrés. En fin, no creo que pudiera entenderlo a

complex

to develop/beyond/ different

se... *will get along well with*

Flaubert[20], o a Meredith[21], o a Proust[22].

SS Hay personas que piensan que se les prohibirá escribir a los escritores.

JLB No lo creo. Eso sólo podría suceder en países muy atrasados° como Rusia. *backward*

SS Esto es relativo, porque en Hungría ha habido un verdadero renacimiento del teatro, por ejemplo y el gobierno no les molesta en absoluto.

JLB Me parece muy buena noticia°. Yo creía que todo estaba masificado, como dice usted. *good news*

SS Borges, quiero hacerle una de las últimas preguntas. ¿Cree usted que seremos todo de una sola raza, *through miscegenation*, o seremos dominados por una raza en particular, a raíz° del exterminio y la conquista de las demás? ¿Hay posibilidades de que, por ejemplo, los chinos dominen el mundo? *through*

JLB Bueno, es que quizá los chinos son la civilización más antigua. Prescindiendo° de la política actual, que no conozco, y a juzgar por Confucio, son gente esencialmente razonable. Por ejemplo si uno compara las Analectas[23] de Confucio con los Evangelios°, éstos parecen superiores, pero no por lo que dicen, sino porque son más patéticos. Pero en cuanto a las ideas, uno se da cuenta de que las Analectas eran muy razonables. *excepting* *gospels*

SS ¿Existiría quizá la posibilidad de que todas las razas coexistieran sin problemas y sin temores?° *fear*

JLB Sí, yo creo que sí. Xul Solar[24] siempre decía que la Argentina necesitaba ser un país más cosmopolita. Porque aquí ¿qué hay? decía. Gringos y gallegos[25]. Tienen que venir malayos, chinos, árabes, judíos...

SS Judíos hay muchos en Buenos Aires. Medio millón, por lo menos.

JLB Es cierto, y es un pueblo a quien le debemos la Biblia y el ser quienes somos°, porque al fin y al cabo° la cultura occidental ¿qué es, el... *our existence/ after all*

---

20 Gustave Flaubert (1821-1880), French novelist, author of *Madame Bovary.*

21 George Meredith (1828-1909), English novelist and poet, wrote *Rhoda Fleming* (1865), *The Egoist* (1879), and many other novels.

22 Marcel Proust (1871-1922), French novelist, author of the semi-autobiographical series of novels, *Remembrance of Things Past.*

23 The *Analects* are a compilation of Confucius' sayings and actions written down by his disciples shortly after the philosopher's death in 479 BC.

24 Xul Solar: Argentine painter and essayist who was a member of the group of intellectuals with whom Borges met frequently in the thirties.

25 In Argentina *gringos* is colloquial for recent immigrants from England or the U.S.; *gallegos* is colloquial for recent immigrants from Spain.

sino una especie de conciliación de Grecia con Israel, o de Israel con Roma, que es una sucursal° de Grecia? En realidad, *you can think the English away, or even the French away, but you can't think the Jews away.* El único argumento que habría contra los judíos es el antisemitismo. Por ejemplo, yo no sé si hay judíos en Groenlandia°, pero si los hay°, habrá también antisemitas.

branch

Greenland

pero... *but if there are*

SS Borges, una última pregunta, ¿cree que en el mundo del futuro existirán todavía los sexos?

JLB Bueno, *Let's hope so, ¿eh? Let's hope so!*

Esta entrevista fue llevada a cabo hace unos años. La incluimos aquí, luego de la muerte de Borges en Mayo de 1986, porque revela la profunda unidad entre su vida y su obra. Durante nuestro diálogo vimos que Borges se refiere a la idea de la libertad que todo ser humano puede y debe ejercer para elegir su propia muerte. Borges eligió morir en Ginebra, Suiza, ciudad donde había estudiado de joven y donde había sido feliz. También fue la ciudad donde había descubierto la literatura latina: donde había estudiado a Tácito[26] y a Virgilio[27]. En varias oportunidades me dijo que se sentía un poco suizo, y su amor a la libertad, a la privacidad, al orden, lo descubrió, probablemente, en esa ciudad. Su idea de morir allí data de tiempo atrás, y aparece en varios poemas. Uno de los más conocidos "Qué será del caminante° fatigado..." comienza diciendo:

wanderer

¿En cuál de mis ciudades moriré?
¿En Ginebra, donde recibí la revelación,
no de Calvino, ciertamente, sino de Virgilio
y de Tácito?

Volví a ver a Borges muchas veces en los últimos años. Hacia el final de su vida ya no creía en un Dios personal, pero mantuvo hasta el fin su actitud de duda acerca de una posible vida más allá de la muerte. Su decisión última, su última felicidad, fue casarse con María Kodama, su acompañante de casi veinte años, tres meses antes de morir, en una afirmación de libertad y de felicidad, de desafío° a la muerte física, y de esperanza, quizá, a lo por venir.

challenge

Susana Chica Salas

---

26 Cornelius Tacitus (b. AD c. 55), Roman historian whose great works known as the *Annals* and *Histories* were lost for centuries and rediscovered in large part during the 15-16th centuries.

27 Publius Virgilius Maro, known as Virgil (70 BC - 19 BC), author of the great epic poem, *Aeneid,* dealing with the legendary history of Rome.

Ejercicios

VOCABULARIO:

A. *Da el adjetivo que corresponde a cada nombre.*

la ceguera
la facilidad
la rapidez
la profundidad
la inteligencia

B. *Da los nombres (con sus artículos) que corresponden a cada verbo.*

tratar
imaginar
preguntar
expresar
jugar
comentar
pensar

C. *Da los adverbios que corresponden a cada adjetivo.*

total
oscura
afectuoso
frecuente
feliz

D. *Da los verbos que corresponden a cada palabra.*

el canal
la cita
el suicido
la promoción
el temor

VERBOS: Transformaciones. *Haz los cambios necesarios para completar la frase.*

Ejemplo: Ahora se habla del amor. ¿Mañana se seguirá hablando de él?

1. Ahora se escribe acerca de la amistad. ¿Mañana ___________?
2. Hoy día se desconfía de las máquinas. ¿Mañana ___________?
3. En las dictaduras prescinden *(they disregard)* de los partidos políticos. ¿Crees que dentro de unos años ____________?
4. Hoy nos quejamos mucho de las masas. ¿En el futuro __________?

Preguntas

1. ¿Quién era Jorge Luis Borges?
2. ¿En qué ciudad vivía?

3. ¿Cuándo empezó a publicar cuentos?
4. ¿Por qué no le gustaría a Borges vivir en el siglo treinta?
5. ¿Qué opina Borges de los problemas de la filosofía?
6. ¿Qué opina Schopenhauer acerca del presente?
7. ¿En qué países, dice Borges, no hay criminalidad?
8. ¿Por qué no le interesa a Borges ser célebre?
9. ¿Qué opina Borges de la masa?
10. ¿Qué dice Borges acerca de la civilización china?
11. ¿Qué opina Borges acerca de las máquinas?
12. Según él, ¿qué pasará con la literatura y el arte en el futuro?

Opiniones

1. Explica por qué tú estas de acuerdo (o no estas de acuerdo) con Borges acerca de sus declaraciones siguientes:
   a. en el futuro el arte y la pintura van a ser mucho más complejos, pero sí, habrá literatura y arte.
   b. La gente seguirá hablando de amor y de amistad.
   c. El hecho de que un pueblo no sea querido, de algún modo es un argumento contra él.
   d. Es probable que desparezcan las guerras.
2. ¿Hay otra opinión o declaración de Borges que te parece rara o con la cual no estás de acuerdo? Explica por qué.
3. Juzgando por esta entrevista (y cualquier cuento, etc. que tú puedes haber leído de Borges) ¿qué opinas de su personalidad?

Conversación

1. ¿Piensas más frecuentemente en el pasado, en el presente o en el futuro?
2. ¿Te interesaría vivir en el mundo del siglo treinta? Explica tu respuesta.
3. ¿Cómo ves el futuro? ¿Será muy distinto al presente?
4. ¿Crees que una persona tiene el derecho de suicidarse? ¿Por qué sí o por qué no?
5. Si has respondido afirmativamente a la última pregunta, ¿bajo qué circunstancias ves el suicidio como legítimo?
6. ¿Crees que los seres humanos han cambiado mucho desde el principio de la historia? ¿En qué aspectos? ¿En qué aspectos **no** han cambiado?
7. ¿Por qué estudiamos la historia? ¿Crees que el estudio de la historia

nos ayuda a no cometer los errores de nuestros antepasados?

8. ¿Cómo ves los robots? ¿Crees que van a mejorar o a empeorar nuestras vidas?
9. Para ti, ¿qué es más importante, ser admirado(a) o ser querido(a)?
10. ¿Te gustaría vivir tantos años como Borges? Explica tu respuesta.
11. ¿Cómo te ves a ti mismo(a) a los 80 años?

"Este miedo es una emoción que me gusta.
En esto soy masoquista."

Pilar Rioja, bailarina de flamenco

En las fiestas, Pilar Rioja, la gran bailarina de flamenco, habla poco. Tiene otras maneras de expresarse. A veces habla con las manos. Cuando aplaude a un guitarrista o un cantante, sus manos producen un ruido tan fuerte y tan musical que no se puede casi creer que este ruido haya sido producido por unas manos y unos brazos tan delicados. Si está sentada y alguien canta, se expresa con los pies, a taconazos°, ya que ninguna bailarina puede permanecer del todo quieta cuando escucha música que le gusta. *taps of the heels*

A pesar del gran éxito° que ha conseguido, en México y en todo el mundo, Pilar Rioja es una mujer sencilla, sin pretensiones. Es difícil hacerla hablar de sí misma°. Se mueve con una gracia extraordinaria. Cada detalle de su cuerpo, su ropa, sus gestos, expresa una profunda elegancia. Su apariencia corresponde, además, perfectamente, a la idea tradicional de cómo deben ser las bailarinas en España. Es delgada y alta, con el cutis° muy pálido, el pelo muy negro, y los ojos oscuros y brillantes que expresan ya, en parte, el drama de la música y el baile español. *success* *herself* *skin*

Claro está que cuando decimos que el baile y el canto° flamenco son típicamente españoles queremos decir más bien que son típicos del sur de España, de Andalucía, y de ciertos grupos selectos en este sur andaluz. En cada parte de España hay un riquísimo folklore, una expresión original a través de° la música, las canciones, el baile — y de mil otras maneras. Lo que pasa en Andalucía es de un interés especial, por ser esta parte de España una región en que se han fundido° y combinado muchos elementos orientales con otros que existían desde hace muchos siglos. *song* a... *through* *fused*

Por ejemplo, la música andaluza del "cante jondo," la expresión musical más intensa, más dramática, y más personal, de esta parte de España, se debe° a la fusión de tres elementos: los modos litúrgicos bizantinos, las melodías árabes, y los cantos hebreos de las sinagogas. Todo ello empieza a tomar forma moderna a partir del siglo dieciséis — los últimos árabes se han rendido° en Granada y los judíos que no quisieron convertirse han sido expulsados. Toda Andalucía se convierte en una especie de "colonia interna," dominada por unos pocos señores feudales y en la que pululan° *is due* *surrendered* *swarm* grupos de moriscos°, judaizantes°, gitanos°, y campesinos sin tierra. No es extraño que tantos cantos flamencos sean tristes aunque otros cantos y bailes rebosan° alegría y vitalidad. De alguna manera — en la forma más elevada, el arte — los vencidos han pasado a ser vencedores°, iluminando con su intuición artística todo el horizonte de España.

Christianized Moors/converted Jews/gypsies/ overflow with/ conquerors

Pilar Rioja sabe todo esto. Sonríe, nos habla en voz musical, nos comunica su entusiasmo, su serenidad y su control con unas pocas palabras: un gesto de su mano, o un movimiento ligero en el hombro°, en el cuello°.

shoulder/neck

GLORIA DURAN Pilar, ¿cuándo supiste que tenías que dedicarte al baile?

PILAR RIOJA Desde siempre. Nunca pensé en otra carrera°, en otra actividad. Desde que nací. No recuerdo siquiera° cuándo empecé a bailar.

career / *even*

GD Y tus padres, ¿se opusieron o te alentaron°?

encouraged

PR Me ayudaron mucho. Mi padre tenía un rancho. Lo vendió para que yo pudiera ir a estudiar a España.

GD ¿Eran artistas también?

PR No, mi padre era agricultor°. Eramos cuatro hermanos. Mi hermana menor también se interesaba por el baile. Empezó desde niña; bailó conmigo durante algunos años. Ahora da clases de baile. Mis padres cantaban — como aficionados°— y les encantaba bailar bailes populares. Éramos una familia normal, sí, pero, también, una familia sumamente artística.

farmer / *amateurs*

GD Y tus vecinos, tus amigos y amigas, ¿qué opinaban de tu vocación?

PR Vivíamos en una pequeña ciudad, en el norte de México, en Torreón. Y a la gente le faltaba° imaginación y le sobraban° prejuicios. "¿Cómo vas a permitir que tu hija sea bailarina? — le decían a mi padre. — Es una profesión que conduce al pecado°..." Mi papá, por suerte, nunca les hizo caso°, y más tarde, cuando todos ellos me vieron bailar, dijeron que estaban orgullosos° de conocerme: "qué bien que su papá la ayudó..." etc. Así que, ya ves, no hay que hacerle caso a la gente.

lacked/had too many / *sin* / *paid attention* / *proud*

GD Y ¿por qué escogiste° bailar flamenco en lugar del ballet clásico?

choose

PR En realidad bailo según estos dos estilos. El ballet clásico lo practico porque es indispensable para otros tipos de baile, es la base. Te da un gran equilibrio. Pero yo prefiero el baile español porque es el primero que aprendí, y porque es un modo muy completo, muy elegante y complejo°, de expresarse.

complex

GD ¿Así es que fuiste a España para aprender este tipo de baile?

PR Sí, hay que volver a las raíces°, allí está la tradición. Este es el tipo

roots

de baile que me atraía° desde niña. Era como ver un sueño convertirse en realidad. Ahora yo trato de bailar con variedad. Me gusta empezar mis conciertos con bailes clásicos — bailes del siglo dieciocho, bailes de Albéniz[1]— y luego, al final, el baile flamenco. Así hay una expresión más completa. *attracted*

GD Y ahora todos, o casi todos, creen que eres española, que naciste en España, ¿verdad?

PR Sí, mucha gente lo cree. Parece que tengo cara de española... o de judía°. *Jewish woman*

GD Todo lo cual no es, quizá, pura casualidad°. De todos modos tú has llegado hasta el fondo del arte flamenco. ¿Nos lo puedes explicar sin demasiados tecnicismos? *chance*

PR Es un asunto algo complicado. Nadie conoce exactamente el origen histórico de este estilo. Unos dicen que la música y el baile flamenco vienen de los árabes, o quizá de los judíos. Pero creo que la versión más aceptada — el gran compositor Manuel de Falla[2] creía en esta versión — lo relaciona todo con los gitanos, una casta de la India, del Indostán. Nadie sabe por qué, pero se marcharon de allá, se pusieron° a viajar, sin echar raíces° en ninguna parte, hasta que llegaron a España. Pero yo creo que cuando llegaron, ya se bailaba así en España. Los gitanos llegaron a muchos otros países, a Europa Central, a Italia, a mil otros lugares, y los que llegaron allí, los gitanos que están en estos países hoy, no bailan como los andaluces, como los gitanos andaluces. Hay un gran misterio en todo esto. *they began*

GD ¿Tiene algo que ver° el baile de los gitanos con la corrida de toros°? *Have anything to do with/bullfighting/mounted bullfighters/bullfighter who thrusts barbed darts into bull/fighting bulls/develop/fought*

PR Sí. En los dos casos hay movimientos estilizados, rituales. Los picadores°, los banderilleros°, mueven sus brazos como si estuvieran bailando. Yo tuve un maestro que fue muy famoso, y se llamaba "Estampío", que creó un baile que se llamaba "El picador", sobre los toros, y tuvo mucho éxito con ese baile. Tanto el arte de torear° como el baile flamenco se desarrollan° a fines del siglo dieciocho y durante todo el siglo pasado. Antes los toreros peleaban° contro el toro a caballo, desde sus caballos. En el siglo dieciocho empiezan a torear a pie° y desde ese momento se parecen cada vez más a los bailarines de flamenco. *on foot*

GD Bueno, sabemos que el toreo es un arte, un ritual, y un deporte,

---

[1] Isaac Albéniz (1860-1909), Spanish composer and pianist who wrote several operas, orchestral suites, and many piano works, including the twelve magnificent pieces entitled *Iberia*.

[2] Manuel de Falla (1876-1946), Spanish composer who wrote the ballet *The Three-Cornered Hat, Nights in the Gardens of Spain, Seven Spanish Popular Songs*, and others.

que tiene algo de ballet. Y quién sabe cuántas cosas más. Pero sin embargo sigo creyendo que el baile flamenco es mil veces más complicado. Incluso a veces me imagino que los taconazos, los ritmos de los aplausos, o de las castañuelas°, pueden haber sido en algún momento una forma secreta de comunicarse con algunos miembros del público, una especie de Código° Morse para gitanos, para iniciados.

castanets
code

PR Bueno, no se me había ocurrido, pero no es imposible, y en todo caso es una teoría original. Estamos de acuerdo en un punto — el baile flamenco es único°, y se distingue de mil maneras de los otros bailes folklóricos de España. Los otros bailes son magníficos también, pero menos variados. El flamenco se baila con todo el cuerpo. Se mueven los brazos, los pies, se zapatea°, se dan vueltas°, todo el cuerpo se curva, se inclina, y se endereza° nuevamente. Es un baile con ritmo, con gracia, con expresión, con sentimiento°: lo tiene todo. Tiene, desde luego, mucha técnica. Pero siempre al servicio del sentimiento. Y es único por el hecho° de ser tan individual... mientras que los demás son bailes de grupo y los bailes de grupo suelen expresar alegría o solidaridad social como en las fiestas, en las bodas°. Pero no pueden expresar los sentimientos más profundos que afectan al individuo. Otra ventaja°: es un baile que no necesita un salón público. Está hecho a la medida° de las cuevas° donde lo bailaban los gitanos y tantos otros hombres y mujeres al margen de la sociedad, para expresar sus penas° en forma estilizada, artística. Yo diría, simplemente, que se relaciona con otros bailes folklóricos en la misma forma en que las canciones "espirituales" de los negros, en Estados Unidos, se relacionan con las canciones patrióticas cantadas a coro°

unique
tap dance/spin
straighten up
feeling
fact
weddings
advantage
for the size/caves
grief
chorus

GD De acuerdo. El canto andaluz tiene que ver con la muerte, con el sentido° trágico de la vida. Pero no del todo; como me recordaste ayer, existen bailes alegres, bailes elegantes, pero no trágicos. No se puede ser trágico todo el tiempo.

sense

PR Sí, el dolor cansa; la tragedia acaba por dejarnos insensibles°, como anestesiados. Esta tradición lo sabe y nunca exagera; hay de todo, es posible encontrar humor, gracia, ingenio°, en estas canciones y estos bailes.

numb
wit

GD Esto me lleva a otra pregunta: ¿qué cualidades debe tener la persona que baila flamenco?

PR La respuesta es fácil... y no muy precisa. Tiene que tener garbo°, y sentir lo que está bailando.

grace

GD ¿Es necesario ser española o hispanoamericana para bailar bien este tipo de danza?

PR No, no lo creo. Creo que todos los que de veras se identifican con este tipo de baile, sienten la emoción básica, pueden bailarlo bien. Me decía una vez Manolo Vargas, el gran bailarín que bailó con Argentinita[3], que para bailar bien los bailes españoles hay que querer a España. Hoy sabemos que el flamenco puede bailarlo todo el mundo. Hay incluso bailarinas famosas de varios países, sobre todo de Hispanoamérica, pero incluso hay algunas bailarinas japonesas que han aprendido y lo bailan ahora.

> *"Cuando sales a escena te das cuenta de si el público está contigo o en tu contra."*

GD ¿Y cuáles son los principales obstáculos para alguien que quiera dedicarse profesionalmente al baile andaluz?

PR En cuanto a la técnica, creo que se puede adquirir, si de veras quieres bailar de esta manera y sientes la emoción que te inspira la música. Existe un problema, sobre todo en España donde hay tanto turismo: el público pide, a veces exige°, una serie de concesiones. Es difícil bailar en forma tradicional, pura. El público pide más dramatismo, despeinarse° los cabellos, caerse por el suelo°. A veces los empresarios° dicen: si no haces lo que el público pide, aunque sea falso y artificial... no te damos trabajo.

demands
dishevel
floor/managers

GD Ya que estamos hablando del público, ¿cómo te influye el público cuando bailas?

PR Influye con su atención, con su manera de aplaudir. Hay buenos públicos, y otros muy malos.

GD ¿Y cómo te das cuenta°?

do you know

PR En seguida°. Cuando sales a escena° te das cuenta de si el público está contigo o en tu contra°; sientes como una corriente, una vibración, la unidad del público con el artista, esta comunión, tú la sientes.

immediately/on stage/against you

GD ¿Y prefieres que aplaudan mientras bailas o que esperen al final del espectáculo°?

performance

PR Eso depende. En algunos números de baile flamenco se necesita escuchar la reacción, el "¡olé!" que alguien diga, o grite, desde el público. Pero hay otros programas... por ejemplo, tengo uno a base de poemas de Lorca[4] o sobre Lorca. Bailo una seguidilla° con fondo° de un poema de Antonio Machado[5] a la muerte de Lorca y me gusta cuando el público tarda° en aplaudir, o no lo hace. La última vez que estuve en Nueva York una muchachita, después del acto, vino a saludarme° y me dijo, "fíjese° que yo quería decirles a todos, cuando empezaron a

(type of dance)/ background
delays
greet
you know

---

[3] Encarnación López, whose stage name was Argentinita: dancer and choreographer; born in Buenos Aires in 1895, died in New York in 1945. In 1932 she founded the dance company "Ballet de Madrid."

[4] Federico García Lorca, famous Spanish poet and playwright (1898-1936).

[5] Antonio Machado (1875-1939), one of the greatest modern Spanish poets.

aplaudir en este número, 'cállense°, cállense, este número no es para aplaudir, sino para guardar silencio'." Y tenía razón. *keep quiet*

GD Hablando de aplaudir, la otra noche me fijé en° tu manera de aplaudir. Haces más ruido que cualquier otra persona que he oído antes. ¿Usas una técnica especial? *I noticed*

PR Creo que sí. No es cuestión de fuerza, sino de poner las manos así. [Y demuestra cómo lo hace.]

GD Y aparte del flamenco y el ballet clásico, ¿has bailado folklórico, o moderno?

PR Sí, todo. Incluso los bailes de salón°, el rock-and-roll, el cha-cha-cha. Todo me gusta. Pero profesionalmente hay que especializarse. Hay que dedicarse a una sola línea porque no se puede bailar todo igualmente bien. *ballroom*

GD Quizá es cierto que cada quien tiene su estilo, y sobre todo que el cuerpo se va moldeando según el estilo de bailar. El cuerpo de una bailarina de ballet es distinto del de una bailarina hindú. Desarrolla músculos distintos, ¿no?

PR Las puntas°, por ejemplo, desarrollan ciertos músculos. El zapateado°, otros. Y el movimiento de los brazos también. Y sobre todo el conjunto°, el estilo. *toe dancing* *tap dancing* *combination*

GD ¿Das clases de baile?

PR Pocas. Mientras pueda, prefiero bailar yo misma, salir°; me encanta el contacto con el público. *to be on stage*

GD ¿A dónde has ido con tus bailes? ¿A qué países?

PR He ido a Centroamérica, a Nueva York (cuatro veces); ahora voy a Canadá, a Ottawa, luego a Sudamérica, y después, en el otoño, a Rusia. Al frío. Me contrataron para treinta y cinco o cuarenta recitales. Tengo mucha ilusión°... Tengo... *I am thrilled*

GD Es cierto que son muy exigentes en cuestiones de baile.

PR Así me gusta.

GD Dinos dos palabras acerca de la música que acompaña el baile flamenco. ¿La guitarra, simplemente?

PR Para el baile flamenco, sí, nada más. Y la voz del cantante. (O, como le llamamos casi siempre, el "cantaor°".) *Andalusian for* cantador

GD ¿Es "cantaor" de cante jondo, verdad?

PR Sí. Pero cuando bailo algún baile barroco bailo con acompañamiento de orquesta.

GD ¿Cuántas horas diarias sueles practicar?

PR Si tengo que presentar piezas nuevas a veces ensayo° desde las nueve de la mañana hasta las tres de la tarde. Y luego vuelvo a ensayar en la noche. Si no tengo que presentar nada nuevo, ensayo solamente por la mañana. *I rehearse*

GD ¿Y no te cansas mucho practicando?

PR Sí, pero es un cansancio sabroso°; me canso más cuando no ensayo. El cuerpo se acostumbra. Cuando no hago ejercicio me siento mal. Claro, si hago una gira°, me canso, y después al regresar tengo que descansar algunos días. Pero muchos días de no hacer nada me aburren. *delicious* *tour*

GD ¿Tienes que fijarte mucho en lo que comes para guardar la línea°? *keep slim*

PR No, no es necesario. Pero de todos modos no como mucho. Porque tengo el estómago delicado, y pienso: "Eso me va a enfermar, y luego no podré ensayar o dar mi concierto." Y no como. Por eso como poco. Pero no hace falta comer mucho.

GD Los vecinos de tu casa, ¿no se quejan° del ruido que haces con tus taconazos cuando practicas? *complain*

PR Verás. Vivimos en el primer piso — que escogí a propósito°— y no vive nadie debajo de nosotros. Y así no se quejan, porque no se oye ruido en otros pisos; sólo en la escalera°. *on purpose* *stairway*

GD Si pudieras escoger otra carrera, ¿lo harías hoy?

PR No, nunca. No me veo haciendo otra cosa que bailar.

GD ¿Qué desventajas le ves a tu profesión?

PR No las veo. Para mí todo son ventajas. Mira: haces ejercicio, te mantienes delgada y haces algo que te gusta. Te aplauden. (A mí el público me gusta mucho.) Verdad que al principio de una representación a veces tengo miedo, sobre todo cuando el teatro es grande y no conozco al público. Pero este miedo es una emoción que me gusta. En esto soy masoquista. Además... el miedo solamente dura° un ratito, antes de empezar. Cuando ya estoy en la escena todo es maravilloso; nada puede asustarme° entonces. *lasts* *frighten*

GD ¿Haces tú la coreografía de tus bailes? ¿No tienes ayudantes?

PR Sí, generalmente yo arreglo todo. Pero ahora, por suerte, me ayuda Manolo Vargas. Es un gran artista. ¿Te has fijado cómo mueve los brazos, incluso cuando está sentado? En él tienes una prueba concreta de los beneficios del baile. Aparenta° por lo menos veinte años menos de los que tiene. Y debo decir que también me ayuda mi marido. Sugiere danzas nuevas pero, naturalmente, no puede explicarme cómo deben ser los pasos, porque no es bailarín. Pero, por ejemplo, él seleccionó los poemas de Lorca que interpreté. *he looks*

GD ¿Y no se pone celoso° cuando ve que tienes que viajar sola por todo el mundo? *jealous*

PR Verás... a veces me acompaña. Espera ir conmigo a Rusia si le dan la visa.

GD Una pregunta final: ¿qué consejo° le darías tú a un joven, o a una muchacha, que quiere dedicarse al baile? *advice*

PR Que siga adelante. Que siga trabajando con entusiasmo. La única desventaja que se me ocurre ahora: la carrera dura poco. Otras profesiones son más generosas. Tocar el piano, ser actor o actriz, por ejemplo. Una actriz puede trabajar de niña, de joven, madura, incluso cuando es vieja. Pero para bailar — ya que se necesita fuerza física — no se puede seguir después de cierta edad; una se cansa demasiado.

GD Pero hay bailarinas de cierta edad°, como Margot Fonteyn[6], Alicia Alonso[7]... *older*

PR Sí, pero de todos modos no duran tanto como un pintor o un escritor. Sin embargo, después pueden enseñar, hacer coreografía. Y sin embargo lo bonito es el contacto, el calor que se recibe del público. Esta es la gran ventaja del baile: este intercambio de emoción en el momento en que la sientes al bailar. Porque después ya no es lo mismo. Un escritor, por ejemplo, no puede recibir esta misma sensación, esta simultaneidad de sentimientos entre nosotros y el público, lo que recibimos los bailarines, los actores...

GD Empiezo a entender. No es lo mismo que lo que le ocurre al escritor. Publica°, y hay un vacío°. Tiene que esperar la opinión de los críticos, de sus lectores, para saber si tiene éxito o si ha fracasado°. Mientras que tú estás disfrutando° de tu emoción, de tus movimientos. Y el público también. Es casi una relación sexual entre tú y ellos. Y también espiritual — una comunión en la emoción y en el arte. *he publishes/gap* *failed* *enjoying*

PR Pues sí, así es, casi, casi...

(Desde que hice esta entrevista con Pilar han pasado varios años. Ahora cuando la vi unos minutos después de su programa en el Teatro Repertorio Español de Nueva York — fue la última función en una serie que duró dos meses — seguimos la entrevista. Pilar llevaba una bata°, color lila°, y el maquillaje° para el escenario todavía puesto. Sus ojos brillaban y parecía tener ánimo para° charlar.) *robe/lilac/make-up/feel like*

GD ¿Por qué no te sientas? Has estado bailando por unas dos horas; debes estar rendida°. *exhausted*

PR No, no tengo ganas. Soy como un deportista que corre. No se puede descansar de repente. Hay que acostumbrar el cuerpo al descanso, poco a poco.

GD Bueno. (Yo, cansada por el esfuerzo de verla trabajar tanto, ya que era la única bailarina en el programa, tenía que seguir de pie también.) Pues dinos algo de tu vida desde la última vez. ¿Qué tal Rusia, por

---

[6] Margot Fonteyn: famous English ballerina and choreographer, born in 1919.

[7] Alicia Alonso: Cuban ballerina and internationally known choreographer. She danced for the New York Ballet Theater and later founded the *Ballet Nacional de Cuba*.

ejemplo?

PR Magnífico. Ya he estado allí siete veces. Incluso he aprendido a pedir comida en ruso. He dado varias clases de maestría° ante la compañía de baile del Teatro Bolshoy y ahora cuando regrese allí el mes próximo haré otra gira por el país. *master classes*

GD ¿Nunca te ha pasado nada desagradable allí?

PR Pues, casi, casi. Fue durante el momento de la invasión de Grenada. Había mucho ruido, bulla°. Alguien me dijo, "Pilar, no te asustes, no es nada". Pero miré por la ventana y vi que había muchos tanques y soldados pasando por las calles. Pensé que había comenzado una guerra. Pero resultó que era el desfile° para celebrar el aniversario de la revolución. Tantos armamentos horribles, ni sé cómo se llaman. Es raro°, ¿sabes? He bailado en los dos países que tienen más armamentos del mundo y sin embargo en ambos toda la gente que yo conozco y he conocido quiere la paz. ¿Por qué gastan tanto en la guerra? *commotion* *parade* *strange*

GD Quizás es cuestión de que no sabemos comunicarnos y no escuchamos a los demás.

PR Si pudiéramos bailar en vez de hablar creo que nos entenderíamos mejor.

GD Sin duda, sobre todo si todo el mundo pudiera bailar como tú. Comunicas todo lo importante del ser humano en tus movimientos, tu expresión. He visto el miedo, la angustia°, la muerte, pero también la alegría de vivir, el sentido de humor, el amor. *anguish*

PR Gracias, pues sabes que me han hecho un *video-tape* y ahora estoy archivada° en la Biblioteca del Congreso. *filed away*

GD Así debe ser. ¿Hay otros honores, otros cambios?

PR Sí, tengo mi propia academia en México ahora, Academia de Baile Pilar Rioja. Cuando estoy en México siempre me encontrarás allí. También he recibido el Premio de Baile dado por los críticos de México.

GD Y si leo a los críticos de este país, sales igualmente honrada. No he visto más que alabanzas° por tu estilo, tu maestría, la variedad de tus bailes. Verte bailar es un poco como entrar en la historia. Se conoce una civilización quizás mejor por su música y su baile que por la narraciones de los historiadores. *praise*

PR ¿Verdad?

(Ahora Pilar toma un sorbo° de vino blanco. Me parece que las alabanzas la cansan más que el esfuerzo físico de bailar tanto. El gerente° del teatro me trae fotos de Pilar que resultan ser una decepción°. Hay que verla en movimiento. Lástima que no podamos incluir la cinta° de Pilar en acción.) *sip* *manager* *disappointment* *tape*

Ejercicios

VOCABULARIO:

A. Da nombres que se refieren a personas, utilizando los verbos siguientes.

Ejemplo: vencer —> *los vencidos o los vencedores*

trabajar	ayudar
hablar	torear
cantar	bailar

B. Traduce las frases al inglés fijándote en la parte en letra cursiva (italics).

1. Ella *aparenta por lo menos* 15 años menos *de los* que tiene.
2. A él no le importa *guardar la línea.*
3. Este baile *tiene que ver* con *el sentido* trágico de la vida.
4. A los vecinos *les faltaba* imaginación y *les sobraban* prejuicios.
5. *Desde luego*, el baile flamenco es un baile con *sentimiento* y con mucha técnica también.
6. Está hecho *a la medida* de un lugar pequeño, como una *cueva.*
7. *En seguida me doy cuenta* si el público está conmigo o no.
8. *A veces* prefiero que el público *se calle*, que *guarde silencio.*
9. Si el baile flamenco es nada más un baile *gitano, no tiene sentido* que no lo bailen en cualquier lugar donde haya gitanos.

¡Ojo! Fígate en la diferencia entre **sentido** (sense, meaning) y **sentimiento** (feeling).

C. Traduce al español.

1. Do you understand the meaning of flamenco dancing?
2. What does it have to do with bullfighting?
3. This ballerina does not lack either technique or feeling.
4. Keep quiet. It's not necessary to applaud. (use *hacer falta*)

Preguntas

1. ¿Qué profesión tiene Pilar Rioja y qué nacionalidad?
2. ¿Cuáles de los adjetivos siguientes se refieren a ella? (habladora, fea, morena, delgada, alta, bajita, elegante, gorda, rubia, modesta, egoísta)
3. ¿De qué parte de España es típico el baile flamenco?
4. Menciona algunas teorías acerca de su origen.

5. ¿Qué clase de sentimiento producen el baile flamenco y el cante jondo a veces?
6. ¿Cuál era la actitud de los padres de Pilar con respecto a su carrera?
7. Aparte del flamenco, ¿qué otros bailes baila ella?
8. ¿Qué relación hay entre el flamenco y la corrida de toros?
9. ¿Qué ventajas les lleva a todos los demás bailes el baile flamenco?
10. ¿Cuáles son los requisitos para cualquier persona que quiera bailar flamenco?
11. ¿Cómo influye el público en el baile?
12. ¿Cuándo debemos aplaudir? ¿Cuándo callar?
13. ¿Dónde ha bailado ya Pilar y adónde va para dar unos cuarenta recitales?
14. ¿Cuántas horas diarias dedica Pilar a practicar?
15. ¿Por qué no se cansa?
16. ¿Tiene que comer poco para guardar la línea? Explica.

Opiniones

1. Si has visto baile flamenco o escuchado cante jondo, explica por qué te gusta o no te gusta.
2. ¿Puedes pensar en ventajas y desventajas no mencionadas por Pilar, relacionadas con la carrera de bailarina?
3. Explica por qué crees que la corrida de toros es un arte o solamente un deporte.
4. ¿Qué tienen en común el flamenco y los bailes que tú conoces?

Conversación

1. ¿Sabes ya cuál será tu carrera? ¿Cuándo supiste que ésa sería tu carrera? ¿Te das cuenta de las ventajas y las desventajas de esta carrera? ¿Tus padres están en favor de tu carrera o se oponen a ella?
2. ¿Tiene la música un papel importante en tu vida? ¿Qué clase de música prefieres? ¿Eres capaz de estudiar mientras escuchas música?
3. ¿Bailas muy a menudo? ¿Cuál es tu baile favorito?
4. ¿Te gustaría viajar muy a menudo como lo hace Pilar? ¿Cuáles son los países que te gustaría visitar?
5. ¿Por qué es importante el baile para el ser humano? ¿Qué funciones desempeña?

III. Selecciones literarias

Un pacto con el Diablo

JUAN JOSE ARREOLA

INTRODUCTION: In our long interview with Juan José Arreola, only part of which appears in this book, he calls "Un pacto con el Diablo" one of his favorite stories. Although he wrote it when he was quite young, he still enjoys it because of its simplicity, directness, and innocence.

Notice that the story is told in the first person by the hero, a poor tailor. The plot unfolds mainly through dialogue (indicated by dashes). The identity of the other spectator at the movie is revealed gradually. At first he could be almost anyone, although such a long conversation with a perfect stranger at the movies does seem a bit unusual. As you read, ask yourself exactly how the author reveals this character's identity. How would you describe the character of this other person? Does he have any likeable qualities?

At the very end of the story, when the hero explains everything that has happened as a dream, do you think that he believes this explanation himself? Do you think that Arreola wishes the reader to accept this explanation?

Un pacto con el Diablo

Aunque me di prisa° y llegué al cine corriendo, la película había comenzado. En el salón oscuro traté de encontrar un sitio. Quedé junto a un hombre de aspecto distinguido.

I hurried up

—Perdone usted —le dije—, ¿no podría contarme brevemente lo que ha ocurrido en la pantalla?°

screen

—Sí. Daniel Brown, a quien ve usted allí, ha hecho un pacto con el diablo.

—Gracias. Ahora quiero saber las condiciones del pacto: ¿podría explicármelas?

—Con mucho gusto. El diablo se compromete a proporcionar° la riqueza a Daniel Brown durante siete años. Naturalmente, a cambio de su alma.

—¿Siete no más?°

—El contrato puede renovarse. No hace mucho°, Daniel Brown lo firmó° con un poco de sangre.

Yo podía completar con estos datos° el argumento° de la película. Eran suficientes, pero quise saber algo más. El complaciente° desconocido parecía ser hombre de criterio°. En tanto que Daniel Brown se embolsaba° una buena cantidad de monedas de oro, pregunté:

—En su concepto, ¿quién de los dos se ha comprometido más?

—El diablo.

—¿Cómo es eso? —repliqué sorprendido.

—El alma de Daniel Brown, créame usted, no valía gran cosa en el momento en que la cedió°.

—Entonces el diablo...

—Va a salir muy perjudicado° en el negocio, porque Daniel se manifiesta muy deseoso de dinero, mírelo usted.

Efectivamente, Brown gastaba el dinero a puñados°. Su alma de campesino° se desquiciaba°. Con ojos de reproche, mi vecino añadió:

—Ya llegarás al séptimo año, ya.

Tuve un estremecimiento°. Daniel Brown me inspiraba simpatía. No pude menos de preguntar:

—Usted, perdóneme, ¿no se ha encontrado pobre alguna vez?

El perfil de mi vecino, esfumado° en la oscuridad, sonrió débilmente. Apartó los ojos de la pantalla donde ya Daniel Brown comenzaba a sentir remordimientos° y dijo sin mirarme:

—Ignoro° en qué consiste la pobreza, ¿sabe usted?

—Siendo así...

—En cambio, sé muy bien lo que puede hacerse en siete años de riqueza.

Hice un esfuerzo para comprender lo que serían esos años, y vi la imagen de Paulina, sonriente, con un traje nuevo y rodeada de cosas hermosas. Esta imagen dio origen a otros pensamientos:

—Usted acaba de decirme que el alma de Daniel Brown no valía nada: ¿cómo, pues, el diablo le ha dado tanto?

—El alma de ese pobre muchacho puede mejorar, los remordimientos pueden hacerla crecer — contestó filosóficamente mi vecino, agregando luego con malicia—: entonces el diablo no habrá perdido su tiempo.

—¿Y si Daniel se arrepiente°?...

se...*commits himself to providing*
only
a while ago
signed
facts/plot
agreeable
discernment
pocketed
turned it over
come out losing
fistfuls
peasant farmer/ was falling apart
shudder
blurred
remorse
I don't know
repents

Mi interlocutor pareció disgustado por la piedad° que yo manifestaba. Hizo un movimiento como para hablar, pero solamente salió de su boca un pequeño sonido gutural. Yo insistí:

pity

—Porque Daniel Brown podría arrepentirse, y entonces...

—No sería la primera vez que al diablo le salieran mal estas cosas. Algunos se le han ido ya de las manos° a pesar del° contrato.

—Realmente es muy poco honrado —dije, sin darme cuenta.

—¿Qué dice usted?

—Si el diablo cumple°, con mayor razón debe el hombre cumplir —añadí como para explicarme.

algunos... *some have already slipped through his hands/in spite of/keeps his word*

—Por ejemplo... —y mi vecino hizo una pausa llena de interés.

—Aquí está Daniel Brown —contesté—. Adora a su mujer. Mire usted la casa que le compró. Por amor ha dado su alma y debe cumplir.

A mi compañero le desconcertaron° mucho estas razones.

disturbed

—Perdóneme —dijo—, hace un instante usted estaba de parte de° Daniel.

on the side of

—Y sigo de su parte. Pero debe cumplir.

—Usted, ¿cumpliría?

No pude responder. En la pantalla, Daniel Brown se hallaba sombrío°. La opulencia no bastaba para hacerle olvidar su vida sencilla de campesino. Su casa era grande y lujosa°, pero extrañamente triste. A su mujer le sentaban mal° las galas° y las alhajas°. ¡Parecía tan cambiada!

looked gloomy
luxurious

Los años transcurrían° veloces y las monedas saltaban rápidas de las manos de Daniel, como antaño° la semilla°. Pero tras él, en lugar de plantas, crecían tristezas, remordimientos.

didn't become her/finery/jewels/were passing/formerly/seed

Hice un esfuerzo y dije:

—Daniel debe cumplir. Yo también cumpliría. Nada existe peor que la pobreza. Se ha sacrificado por su mujer, lo demás no importa.

—Dice usted bien. Usted comprende porque también tiene mujer, ¿no es cierto?

—Daría cualquier cosa porque nada le faltase a Paulina.

—¿Su alma?

Hablábamos en voz baja. Sin embargo, las personas que nos rodeaban parecían molestas. Varias veces nos habían pedido que calláramos. Mi amigo, que parecía vivamente interesado en la conversación, me dijo:

—¿No quiere usted que salgamos a uno de los pasillos°? Podremos ver más tarde la película.

corridors

No pude rehusar° y salimos. Miré por última vez a la pantalla: Daniel Brown confesaba llorando a su mujer el pacto que había hecho con el diablo.

to refuse

Yo seguía pensando en Paulina, en la desesperante estrechez° en que vivíamos, en la pobreza que ella soportaba° dulcemente y que me hacía

poverty
endured

sufrir mucho más. Decididamente, no comprendía yo a Daniel Brown, que lloraba con los bolsillos repletos°.

—Usted, ¿es pobre?

Habíamos atravesado el salón y entrábamos en un angosto° pasillo, oscuro y con un leve olor de humedad°. Al trasponer la cortina gastada°, mi acompañante volvió a preguntarme:

—Usted, ¿es muy pobre?

—En este día —le contesté—, las entradas al cine cuestan más baratas que de ordinario y, sin embargo, si supiera usted qué lucha para decidirme a gastar ese dinero. Paulina se ha empeñado° en que viniera; precisamente por discutir con ella llegué tarde al cine.

—Entonces, un hombre que resuelve sus problemas tal como lo hizo Daniel, ¿qué concepto le merece°?

—Es cosa de pensarlo. Mis asuntos° marchan muy mal. Las personas ya no se cuidan de vestirse. Van de cualquier modo. Reparan sus trajes, los limpian, los arreglan una y otra vez. Paulina misma sabe entenderse° muy bien. Hace combinaciones y añadidos°, se improvisa trajes; lo cierto es que desde hace mucho tiempo no tiene un vestido nuevo.

—Le prometo hacerme su cliente —dijo mi interlocutor, compadecido°—; en esta semana le encargaré° un par de trajes.

—Gracias. Tenía razón Paulina al pedirme que viniera al cine; cuando sepa esto va a ponerse contenta.

—Podría hacer algo más por usted —añadió el nuevo cliente —; por ejemplo, me gustaría proponerle un negocio, hacerle una compra...

—Perdón —contesté con rapidez—, no tenemos ya nada para vender; lo último, unos aretes° de Paulina...

—Piense usted bien, hay algo que quizás olvida...

Hice como que meditaba un poco. Hubo una pausa que mi benefactor interrumpió con voz extraña:

—Reflexione usted. Mire, allí tiene usted a Daniel Brown. Poco antes de que usted llegara, no tenía nada para vender, y, sin embargo...

Noté, de pronto, que el rostro de aquel hombre se hacía más agudo°. La luz roja de un letrero° puesto en la pared daba a sus ojos un fulgor° extraño, como fuego. El advirtió mi turbación y dijo con voz clara y distinta:

—A estas alturas°, señor mío, resulta por demás° una presentación°. Estoy completamente a sus órdenes°.

Hice instintivamente la señal de la cruz con mi mano derecha, pero sin sacarla del bolsillo. Esto pareció quitar al signo su virtud, porque el diablo, componiendo el nudo° de su corbata, dijo con toda calma:

—Aquí, en la cartera°, llevo un documento que...

Yo estaba perplejo. Volvía a ver a Paulina de pie en el umbral° de la

pockets full
narrow
musty smell/Al... *replacing the worn curtain*
insisted
¿qué... *what do you think of him?*/*business*
how to manage
hace... *she mixes and matches*
with pity/*I will order*
earrings
sharp/*sign*
brilliance
at this point/*superfluous*/*introduction*/*at your disposition*
knot
wallet
doorway

casa, con su traje gracioso y desteñido°, en la actitud en que se hallaba cuando salí: el rostro inclinado y sonriente, las manos ocultas en los pequeños bolsillos de su delantal°.

Pensé que nuestra fortuna estaba en mis manos. Esta noche apenas si teníamos algo para comer. Mañana habría manjares° sobre la mesa. Y también vestidos y joyas, y una casa grande y hermosa. ¿El alma?

Mientras me hallaba sumido en tales pensamientos, el diablo había sacado un pliego crujiente° y en una de sus manos brillaba una aguja°.

"Daría cualquier cosa porque nada te faltara." Esto lo había dicho yo muchas veces a mi mujer. Cualquier cosa. ¿El alma? Ahora estaba frente a mí el que podía hacer efectivas mis palabras. Pero yo seguía meditando. Dudaba. Sentía una especie de vértigo. Bruscamente, me decidí:

—Trato hecho°. Sólo pongo una condición.

El diablo, que ya trataba de pinchar° mi brazo con su aguja, pareció desconcertado:

—¿Qué condición?

—Me gustaría ver el final de la película —contesté.

—¡Pero qué le importa a usted lo que ocurra a ese imbécil de Daniel Brown! Además, eso es un cuento. Déjelo usted y firme, el documento está en regla°, sólo hace falta su firma, aquí sobre esta raya°.

La voz del diablo era insinuante, ladina°, como un sonido de monedas de oro. Añadió:

—Si usted gusta, puedo hacerle ahora mismo un anticipo°.

Parecía un comerciante astuto. Yo repuse° con energía:

—Necesito ver el final de la película. Después firmaré.

—¿Me da usted su palabra?

—Sí.

Entramos de nuevo en el salón. Yo no veía en absoluto, pero mi guía supo hallar fácilmente dos asientos.

En la pantalla, es decir, en la vida de Daniel Brown, se había operado un cambio sorprendente, debido a no sé qué misteriosas circunstancias.

Una casa campesina, destartalada° y pobre. La mujer de Brown estaba junto al fuego, preparando la comida. Era el crepúsculo° y Daniel volvía del campo con la azada° al hombro. Sudoroso°, fatigado, con su burdo° traje lleno de polvo, parecía, sin embargo, dichoso°.

Apoyado en la azada, permaneció junto a la puerta. Su mujer se le acercó°, sonriendo. Los dos contemplaron el día que se acababa dulcemente, prometiendo la paz y el descanso de la noche. Daniel miró con ternura° a su esposa, y recorriendo luego con los ojos la limpia pobreza de la casa, preguntó:

—Pero, ¿no echas tú de menos° nuestra pasada riqueza? ¿Es que no te hacen falta todas las cosas que teníamos?

faded
apron
gourmet food
a crackling sheet of paper/needle
It's a deal.
prick
in order/line
cunning
an advance
replied
run-down
dusk
hoe/sweaty
coarse/happy
approached him
tenderness
don't you miss

La mujer respondió lentamente:

—Tu alma vale más que todo eso, Daniel...

El rostro del campesino se fue iluminando, su sonrisa parecía extenderse, llenar toda la casa, salir del paisaje°. Una música surgió de esa sonrisa y parecía disolver poco a poco las imágenes. Entonces, de la casa dichosa y pobre de Daniel Brown brotaron° tres letras blancas que fueron creciendo, creciendo, hasta llenar toda la pantalla.

landscape
came forth

Sin saber cómo, me hallé de pronto en medio del tumulto que salía de la sala, empujando°, atropellando°, abriéndome paso con violencia. Alguien me cogió de un brazo y trató de sujetarme°. Con gran energía me solté°, y pronto salí a la calle.

pushing/trampling/hold on to me/got free

Era de noche. Me puse a caminar de prisa, cada vez más de prisa, hasta que acabé por echar a correr°. No volví la cabeza ni me detuve hasta que llegué a mi casa. Entré lo más tranquilamente que pude y cerré la puerta con cuidado.

starting to run

Paulina me esperaba.

Echándome los brazos al cuello, me dijo:

—Pareces agitado.

—No, nada, es que...

—¿No te ha gustado la película?

—Sí, pero...

Yo me hallaba turbado. Me llevé las manos a los ojos. Paulina se quedó mirándome, y luego, sin poderse contener, comenzó a reír, a reír alegremente de mí, que deslumbrado° y confuso me había quedado sin saber qué decir. En medio de su risa, exclamó con festivo reproche:

bewildered

—¿Es posible que te hayas dormido?

Estas palabras me tranquilizaron. Me señalaron un rumbo°. Como avergonzado°, contesté:

a way
ashamed

—Es verdad, me he dormido.

Y luego, en son de disculpa°, añadí:

as an excuse

—Tuve un sueño, y voy a contártelo.

Cuando acabé mi relato, Paulina me dijo que era la mejor película que yo podía haberle contado. Parecía contenta y se rió mucho.

Sin embargo, cuando yo me acostaba, pude ver cómo ella, sigilosamente, trazaba con un poco de ceniza° la señal de la cruz sobre el umbral de nuestra casa.

ashes

Conversación

1. Si existiera el diablo, ¿dónde esperarías encontrarlo?
2. ¿Qué harías tú en la situación del sastre *(tailor)*?
3. En tu opinión ¿por qué puso él una condición antes de firmar el contrato con el diablo? ¿Cómo le influyó el final de la película?
4. Este cuento habla de la relación entre el arte (la película) y la vida. ¿Ha habido alguna relación semejante en tu propia vida?
5. El héroe dice: "Si el diablo cumple, con mayor razón debe el hombre cumplir". ¿Crees tú que tiene razón? ¿Qué importancia das tú a una promesa, incluso una promesa que haces a una persona mala? ¿Crees, por ejemplo, que un gobierno tiene la obligación de cumplir con una promesa que hace a un terrorista que ha tomado rehenes *(hostages)*?

Una señora

JOSE DONOSO

INTRODUCTION: The *su* in the first line of Donoso's story refers to the person in the title, *la señora,* and sets the stage for the narrator's first encounter with this woman who inexplicably ignites his obsessive interest. As in many tales of the supernatural, the setting (for his encounter with *la señora*) is a rainy, winter day, the lonely space of a nearly deserted trolley which the narrator has chosen to ride precisely because its route is unknown to him. In order to see the city outside, he clears a little peephole in the fog-shrouded window.

By the third paragraph of the story the mysterious setting has become internalized; the narrator has a sensation of *déjà vu,* the feeling that everything around him is a repetition of something he has seen or experienced before. He goes on to describe the woman who sits next to him on the trolley as a fairly nondescript person in her fifties except for her eyebrows which almost join together *(cejijunta).* He tells us that he can remember the details of her appearance only because of subsequent events *(a la luz de hechos posteriores),* thus providing further suspense for the reader.

The narrator's second encounter with the woman in the green raincoat takes place late the following night in his own neighborhood, far from the place where he had originally seen her. Two days later she appears again, and by now he begins to suspect some sort of supernatural relationship between himself and the omnipresent woman. Donoso, like most writers of gothic tales, offsets the reader's questioning the likelihood of repeatedly running into the same stranger in a large, crowded city by offering an abundance of realistic details that surround each appearance of the woman. He sees her carrying a shopping bag loaded with vegetables, buying cigarettes, sitting a few seats away from him at the movies.

Eventually the narrator becomes obsessed with her, seeks her out when she does not appear. *(A veces sentía tal necesidad de verla, que abandonaba cuanto me tenía atareado para salir en su busca.)* Her absence affects him physically; he becomes ill until he can manage to catch a glimpse of her again.

But once he is reassured by seeing her, the intensity of the obsession fades. Eventually the narrator wakes up one morning knowing that *la señora* is going to die. This knowledge is reflected in a sharpening of his own perception of images and sounds *(los ruidos se dibujaban con precisión en el aire nítido).* The sounds of the city — the chirping of birds, the laughter of a child in the garden next door, the barking of a dog — are contrasted in the next paragraph with the cessation of all sound in a well *(pozo)* of silence. Even the electric wires cease to vibrate. He imagines her deathbed scene. *(Cierta casa entornaría su puerta esa noche, y arderían cirios en una habitación llena de voces quedas y de consuelos.)* Nevertheless, the spell is now broken; all thoughts of *la señora* disappear. *(Después me debo de haber dormido, porque no recuerdo más de esa tarde.)*

The following day he finds her obituary in the newspaper and learns her name for the first time. He goes to the funeral and later experiences a new sense of peace *(esa tarde asoleada me trajo una tranquilidad especial).* The release from the image of *la señora* is complete. Or is it? In the very last paragraph the feeling of *déjà vu* is repeated *(la escena presente no es más que reproducción de otra, vivida anteriormente).* At such moments he imagines that *la señora* will again appear. He concludes with a kind of nervous laughter and self-derision as he assures himself that he has personally witnessed her burial. And yet we are left with the suspicion that he can never be altogether sure that the world of magic and ghosts does not exist.

Like Arreola's story, this one is told with a directness that makes it fairly easy to understand. Both stories are presented from the viewpoint of fairly innocent, unsophisticated people who may or may not have had an encounter with the supernatural. They themselves, and presumably we, as readers, are left with a delicious doubt. The only grammatical difficulty that Donoso's story presents is the use of the imperfect subjunctive to indicate the past perfect, i.e., *llevara* for *había llevado.* This is formal Spanish literary usage, common in written Spanish only.

Una señora

No recuerdo con certeza cuándo fue la primera vez que me di cuenta de su existencia. Pero si no me equivoco, fue cierta tarde de invierno en un tranvía que atravesaba° un barrio° popular.

Cuando me aburro de mi pieza° y de mis conversaciones habituales, suelo° tomar algún tranvía, cuyo recorrido° desconozca, y pasear así por la ciudad. Esa tarde llevaba un libro por si se me antojara° leer, pero no lo abrí. Estaba lloviendo esporádicamente y el tranvía avanzaba casi vacío. Me senté junto a una ventana, limpiando un boquete° en el vaho del vidrio° para mirar las calles.

No recuerdo el momento exacto en que ella se sentó a mi lado. Pero cuando el tranvía hizo alto° en una esquina, me invadió aquella sensación tan corriente y, sin embargo, misteriosa, que cuanto veía° el momento justo° y sin importancia como era, lo había vivido antes, o tal vez soñado. La escena me pareció la reproducción exacta de otra que me fuese conocida: delante de mí, un cuello rollizo° vertía sus pliegues° sobre una camisa deshilachada°; tres o cuatro personas dispersas ocupaban los asientos del tranvía; en la esquina había una botica° de barrio con su letrero luminoso. Y un carabinero° bostezó junto al buzón° rojo, en la oscuridad que cayó en pocos minutos. Además, vi una rodilla° cubierta por un impermeable verde junto a mi rodilla.

Conocía la sensación, y más que turbarme° me agradaba°. Así, no me molesté en indagar° dentro de mi mente dónde y cómo sucediera° todo esto antes. Despaché° la sensación con una irónica sonrisa interior, limitándome a volver la mirada para ver lo que seguía de esa rodilla cubierta con un impermeable° verde.

Era una señora. Una señora que llevaba un paraguas mojado° en la mano y un sombrero funcional en la cabeza. Una de esas señoras cincuentonas° de las que hay por miles en esta ciudad: ni hermosa ni fea, ni pobre ni rica. Sus facciones° regulares mostraban los restos° de una belleza banal. Sus cejas° se juntaban más de lo corriente° sobre el arco de la nariz, lo que era el rasgo° más distintivo de su rostro°.

Hago esta descripción a la luz de hechos posteriores, porque fue poco lo que de la señora observé entonces. Sonó el timbre°, el tranvía partió haciendo desvanecerse° la escena conocida, y volví a mirar la calle por el boquete que limpiara en el vidrio. Los faroles° se encendieron. Un chiquillo° salió de un despacho° con dos zanahorias y un pan en la mano. La hilera° de casas bajas se prolongaba a lo largo de la acera°: ventana, puerta, ventana, puerta, dos ventanas, mientras los zapateros, gasfiteres° y verduleros° cerraban sus comercios exiguos°.

crossed/neighborhood/room
*I am accustomed to/route/*por... *in case I felt like*
space
fog-covered windowpane
stopped
everything that I was seeing/exact
plump/shed its creases/frayed
drugstore
policeman/yawned/mailbox/knee
disturb/pleased
investigate/might have happened/I dismissed
raincoat
wet
in their fifties
features/traces
eyebrows/more than usual/feature/face
bell
disappear
street lamps
a kid/grocery store
*line/*a... *along the sidewalk/plumbers/greengrocers/small*

Iba tan distraído° que no noté el momento en que mi compañera de asiento se bajó del tranvía. ¿Cómo había de notarlo si después del instante en que la miré ya no volví a pensar en ella?

distracted

No volví a pensar en ella hasta la noche siguiente.

Mi casa está situada en un barrio muy distinto a aquel por donde me llevara el tranvía la tarde anterior. Hay árboles en las aceras y las casas se ocultan a medias° detrás de rejas° y matorrales°. Era bastante tarde, y yo estaba cansado, ya que pasara gran parte de la noche charlando con amigos ante cervezas y tazas de café. Caminaba a mi casa con el cuello° del abrigo muy subido. Antes de atravesar una calle divisé° una figura que se me antojó° familiar, alejándose bajo la oscuridad de las ramas°. Me detuve°, observándola un instante. Sí, era la mujer que iba junto a mí en el tranvía la tarde anterior. Cuando pasó bajo un farol reconocí inmediatamente su impermeable verde. Hay miles de impermeables verdes en esta ciudad, sin embargo no dudé de que se trataba del suyo, recordándola a pesar de° haberla visto sólo unos segundos en que nada de ella me impresionó. Crucé a la otra acera. Esa noche me dormí sin pensar en la figura que se alejaba° bajo los árboles por la calle solitaria.

are half-hidden/ ornamental iron grates/thickets, bushes/collar/I glimpsed/seemed to me/branches/I stopped

in spite of

was moving away

Una mañana de sol, dos días después, vi a la señora en una calle céntrica. El movimiento de las doce° estaba en su apogeo°. Las mujeres se detenían en las vidrieras° para discutir la posible adquisición de un vestido o de una tela. Los hombres salían de sus oficinas con documentos bajo el brazo. La reconocí de nuevo al verla pasar mezclada° con todo esto, aunque no iba vestida como en las veces anteriores. Me cruzó una ligera extrañeza° de por qué su identidad no se había borrado de mi mente, confundiéndola° con el resto de los habitantes de la ciudad.

the noontime traffic/peak/shop windows

mixed with

surprise

confusing her

En adelante° comencé a ver a la señora bastante seguido°. La encontraba en todas partes y a toda hora. Pero a veces pasaba una semana o más sin que la viera. Me asaltó la idea melodramática de que quizás se ocupara en seguirme. Pero la deseché° al constatar° que ella, al contrario que yo, no me identificaba en medio de la multitud. A mí, en cambio, me gustaba percibir su identidad entre tanto rostro° desconocido. Me sentaba en un parque y ella lo cruzaba llevando un bolsón° con verduras. Me detenía a comprar cigarrillos, y estaba ella pagando los suyos. Iba al cine, y allí estaba la señora, dos butacas° más allá. No me miraba, pero yo me entretenía° observándola. Tenía la boca más bien gruesa°. Usaba un anillo° grande, bastante vulgar.

from that time on/often

dismissed/verify

among so many faces/shopping bag

(theatre) seats

I amused myself/ thick/ring

Poco a poco la comencé a buscar. El día no me parecía completo sin verla. Leyendo un libro, por ejemplo, me sorprendía haciendo conjeturas acerca de la señora en vez de concentrarme en lo escrito. La colocaba° en situaciones imaginarias, en medio de objetos que yo desconocía. Principié a reunir° datos° acerca de su persona, todos carentes de° importan-

placed

gather together/ facts/lacking in

cia y significación. Le gustaba el color verde. Fumaba sólo cierta clase de cigarrillos. Ella hacía las compras para las comidas de su casa.

A veces sentía tal necesidad de verla, que abandonaba cuanto me tenía atareado° para salir en su busca. Y en algunas ocasiones la encontraba. Otras no, y volvía malhumorado a encerrarme en mi cuarto, no pudiendo pensar en otra cosa durante el resto de la noche.

cuanto... *everything I had to do*

Una tarde salí a caminar. Antes de volver a casa, cuando oscureció°, me senté en el banco° de una plaza. Sólo en esta ciudad existen plazas así. Pequeña y nueva, parecía un accidente en ese barrio utilitario, ni próspero ni miserable. Los árboles eran raquíticos°, como si se hubieran negado° a crecer, ofendidos al ser plantados en terreno tan pobre, en un sector tan opaco y anodino°. En una esquina, una fuente de soda aclaraba las figuras de tres muchachos que charlaban en medio del charco° de luz. Dentro de una pileta° seca, que al parecer nunca se terminó de construir, había ladrillos trizados°, cáscaras° de fruta, papeles. Las parejas° apenas conversaban en los bancos, como si la fealdad° de la plaza no propiciara° mayor intimidad.

it grew dark
bench
scrawny
refused
insignificant
puddle
swimming pool, small basin/broken bricks/peels/the couples/ugliness/encourage/

Por uno de los senderos° vi avanzar a la señora, del brazo de otra mujer. Hablaban con animación, caminando lentamente. Al pasar frente a mí, oí que la señora decía con tono acongojado°:

paths
distressed

—¡Imposible!

La otra mujer pasó el brazo en torno a los hombros de la señora para consolarla. Circundando° la pileta inconclusa se alejaron por otro sendero.

walking around

Inquieto, me puse de pie y eché a andar° con la esperanza de encontrarlas, para preguntar a la señora qué había sucedido. Pero desaparecieron por las calles en que unas cuantas personas transitaban en pos de° los últimos menesteres del día.

began to walk
in search of

No tuve paz la semana que siguió de este encuentro. Paseaba por la ciudad con la esperanza de que la señora se cruzara en mi camino, pero no la vi. Parecía haberse extinguido, y abandoné todos mis quehaceres°, porque ya no poseía la menor facultad de concentración. Necesitaba verla pasar, nada más, para saber si el dolor de aquella tarde en la plaza continuaba. Frecuenté° los sitios en que soliera° divisarla, pensando detener a algunas personas que se me antojaban° sus parientes o amigos para preguntarles por la señora. Pero no hubiera sabido por quién preguntar y los dejaba seguir. No la vi en toda esa semana.

tasks
I visited/I had been used to/seemed

Las semanas siguientes fueron peores. Llegué a pretextar una enfermedad para quedarme en cama y así olvidar esa presencia que llenaba mis ideas. Quizás al cabo de° varios días sin salir la encontrara de pronto el primer día y cuando menos lo esperara. Pero no logré° resistirme, y salí después de dos días en que la señora habitó mi cuarto en todo momento.

at the end of
didn't manage to

Al levantarme, me sentí débil, físicamente mal. Aun así tomé tranvías, fui al cine, recorrí el mercado y asistí a una función de un circo de extramuros°. La señora no apareció por parte alguna.

traveling circus

Pero después de algún tiempo la volví a ver. Me había inclinado para atar° un cordón° de mis zapatos y la vi pasar por la soleada acera de enfrente, llevando una gran sonrisa en la boca y un ramo de aromo° en la mano, los primeros de la estación que comenzaba. Quise seguirla, pero se perdió en la confusión de las calles.

to tie/shoelace
a Chilean plant

Su imagen se desvaneció de mi mente después de perderle el rastro° en aquella ocasión. Volví a mis amigos, conocí gente y paseé solo o acompañado por las calles. No es que la olvidara. Su presencia, más bien, parecía haberse fundido° con el resto de las personas que habitan la ciudad.

trail
fused

Una mañana, tiempo después, desperté con la certeza de que la señora se estaba muriendo. Era domingo, y después del almuerzo salí a caminar bajo los árboles de mi barrio. En un balcón una anciana tomaba el sol con sus rodillas cubiertas por un chal peludo°. Una muchacha, en un prado°, pintaba de rojo los muebles de jardín, alistándolos° para el verano. Había poca gente, y los objetos y los ruidos se dibujaban° con precisión en el aire nítido°. Pero en alguna parte de la misma ciudad por la que yo caminaba, la señora iba a morir.

shaggy shawl
lawn/getting them ready/etched themselves/sharp

Regresé a casa y me instalé en mi cuarto a esperar.

Desde mi ventana vi cimbrarse° en la brisa los alambres del alumbrado°. La tarde fue madurando lentamente, más allá de los techos°, y más allá del cerro°, la luz fue gastándose° más y más. Los alambres seguían vibrando, respirando. En el jardín alguien regaba° el pasto° con una manguera°. Los pájaros se aprontaban para la noche, colmando de ruido y movimiento las copas de todos los árboles° que veía desde mi ventana. Rió un niño en el jardín vecino. Un perro ladró.

to swing
alambres... *electric wires/roofs/hill/fading/watered/lawn/hose/*las... *all the tree tops*

Instantáneamente después, cesaron todos los ruidos al mismo tiempo y se abrió un pozo° de silencio en la tarde apacible. Los alambres no vibraban ya. En un barrio desconocido, la señora había muerto. Cierta casa entornaría° su puerta esa noche, y arderían° cirios° en una habitación llena de voces quedas° y de consuelos°. La tarde se deslizó° hacia un final imperceptible, apagándose° todos mis pensamientos acerca de la señora. Después me debo de haber dormido, porque no recuerdo más de esa tarde.

a well
would leave ajar/would burn/candles/quiet/consolation/slipped away/shutting off

Al día siguiente vi en el diario que los deudos° de doña Ester de Arancibia anunciaban su muerte, dando la hora de los funerales. ¿Podría ser?... Sí. Sin duda era ella.

relatives

Asistí al cementerio, siguiendo el cortejo° lentamente por las avenidas largas, entre personas silenciosas que conocían los rasgos y la

funeral procession

voz de la mujer por quien sentían dolor. Después caminé un rato bajo los árboles oscuros, porque esa tarde asoleada me trajo una tranquilidad especial.

Ahora pienso en la señora sólo muy de tarde en tarde°.

from time to time

A veces me asalta la idea, en una esquina por ejemplo, que la escena presente no es más que reproducción de otra, vivida anteriormente. En esas ocasiones se me ocurre que voy a ver pasar a la señora, cejijunta° y de impermeable verde. Pero me da un poco de risa, porque yo mismo vi depositar su ataúd° en el nicho, en una pared con centenares° de nichos todos iguales.

with joined eyebrows
coffin/hundreds

Conversación

1. En total, ¿es éste un cuento realista o fantástico? Explica.
2. Tú mismo(a) en tus sueños o en tu imaginación, quizás, alguna vez te has dejado llevar por alguna visión obsesiva, que ha formado después parte de tu memoria, o de tu fantasía. Trata de describir brevemente tu obsesión.
3. ¿Tienes una explicación lógica y racional para la sensación de *déjà vu*? Si no la tienes, ¿qué crees que ocurrió en este relato?
4. ¿Qué edad tendrá el narrador del cuento? ¿Por qué piensas así?
5. ¿Hay algo en la cronología de Donoso (pp. 12-20) que pueda aclarar este cuento?
6. ¿Qué relación hay entre el final de este cuento y el cuento "Un pacto con el Diablo" de Juan José Arreola? (Esta pregunta se contesta mejor por escrito.)

De burguesa a guerrillera

ALICIA ECHEVERRIA

INTRODUCTION: The following narration is taken from the second part of Alicia's *Memorias*. It deals with a period of the mid-nineteen sixties when Paco, her husband, had become a leading *guerrillero* in Guatemala and Alicia was in the process of liquidating her business in Mexico in order to join him.

The style is conversational and straightforward. As you read it, bear in mind that the narrator is no longer young (having grown up during the period of the Mexican Revolution — 1910-1920) and that she becomes a *guerrillera* at a time when most women are content to become grandmothers.

As one reviewer put it, Alicia's words, because of their directness and simplicity, say exactly what she means them to say, sometimes more than she means to reveal and sometimes even betray what she wishes to hide from the reader. Indirectly they allow us to paint a portrait of the author in all her emotional and psychological complexity.

In this narration Alicia refers to the Fourth International and the Trotskyites whom she accuses of taking over the Movement. This Fourth International (a gathering of socialists), like the first three, was based on an acceptance of the creed of violent revolution. Founded by Leon Trotsky in 1938, it accused the Third International of being revisionist (nonrevolutionary), and was supported by no major power; thus the desperate lack of funds among its adherents and the need to appropriate funds from other revolutionary movements. Its influence was small — at least at the time Alicia writes about — and largely confined to doctrinaire intellectuals who debated the relation of objective conditions (mostly in the underdeveloped world) to Marxist formulas.

De burguesa a guerrillera

Paco, aunque era mucho más joven que yo, siempre demostró cariño° por mí y también, aparentemente, cierto respeto por mi criterio°. Los problemas políticos y sociales los discutíamos juntos y con frecuencia se guiaba por mis consejos°. Pero durante el tiempo que estuvo sin mi apoyo° en Guatemala, tomó un camino equivocado. Cuando me trasladé° definitivamente para allá quemando mis barcos°, me encontré con una situación reprobable. Paco, aunque nombrado Comandante, había permitido que se colaran° en el mando° del Movimiento los dirigentes de la Cuarta Internacional (partido Trotskista) que, poco a poco, sin que se percatara°, lo llegaron a dominar a él y consecuentemente a toda la Guerrilla.

Paco era débil de carácter, vanidoso° y no muy inteligente; además, era ambicioso y esos muchachos muy hábilmente encontraron su lado flaco° y con halagos° lograron que fuera entregándoles° la autoridad. Yo traté de convencerlo de que estaba traicionando° a Yon Sosa y a Turcios[1], que se encontraban en la montaña en una ardua lucha y que le habían depositado su confianza. El no lo comprendía así, y era demasiado tarde para recapacitar°, pues todas las decisiones y tácticas de lucha las tomaban los trotskistas. También me di cuenta de que° en Paco se estaba produciendo un cambio de personalidad notable. Conmigo siempre había sido afectuoso y accesible; con los demás cortés° y amable con todos, especialmente, con los criados°. Aunque aparentemente dulce, en alguna ocasión, mirando su boca en el espejo del automóvil que conducía, pensé que tenía un rasgo° de crueldad; esa boca era de una persona cruel.

A mi llegada a Guatemala pude comprobarlo° pues me encontré con un ser° implacable y rudo; sus ojos rasgados° y todo su rostro reflejaba esa crueldad que yo había semivislumbrado, a pesar de su aparente dulzura. Quedé asombrada° de constatar° que el "Comité Central" estaba en manos de los trotskistas y que él era su pelele°. Traté de hacerle ver su error en permitir que estos muchachos, ajenos° a nuestra ideología y principios, tomaran las decisiones y dirigieran el camino que debíamos seguir. Paco había perdido el don° de mando, toda voluntad; hacían con él lo que querían, inclusive participaban en el financiamiento que teníamos de pueblos hermanos y al que ellos no tenían acceso hasta entonces. Tanto Paco como ellos se dieron cuenta de mi inconformidad°, de mi oposición al estado de cosas y empezaron a hostigarme° y a darme tareas difíciles y peligrosas; seguramente yo les estorbaba y trataban de

affection
judgment
advice
support
I moved/burning my bridges
infiltrated/command
anyone noticing
vain
weak/flattery/ lograndо... *got him to turn over/betraying*
to rethink things
me... *I realized*
courteous
servants
trait
verify
being/slanted
shocked/at witnessing/puppet
outsiders
gift
disagreement
to attack me

---

[1] Other revolutionary leaders.

hacerme claudicar°.

Me mandaron a una comisión a Tapachula[2] y luego a la ciudad de México. Me llevó un compañero hasta la frontera° para que pasara al otro lado. Me hospedé en el hotel que me indicaron: era un lugar de mala muerte°, sucio, sin ropa de cama° y con un colchón° asqueroso°. Fui a encontrarme en la playa con el contacto a las once de la noche. Tuve que tomar un taxi y trasladarme sola a la playa desierta; me moría del miedo. Era una noche oscura y las únicas luces salían de las chozas° de las putas° que habitaban ese lugar. Se escuchaban voces, risas, guitarras. Caminé un rato buscando al muchacho que no apareció; el corazón me latía° fuerte por el temor de que algún concurrente° me confundiera. El chofer que me esperaba cerca estaba extrañadísimo° de mi conducta. Regresé al hotel, por supuesto que no pude dormir en toda la noche, y a la mañana siguiente me trasladé a uno más decente. Me puse a buscar al muchacho y por fin lo encontré. Le di las instrucciones, debía de cruzar la frontera, un coche lo estaría esperando y mediante° unas frases en clave° se identificarían y lo llevarían a la capital. Luego me fui a cumplir° con el resto de la misión al D.F.[3] y, cuando regresé a Guatemala, en lugar de recibirme bien por haber cumplido con mi cometido°, me pusieron del asco° porque no le di dinero al chico para sus gastos°. No me habían dado ni para los míos ni me indicaron que le diera nada. Traté de explicarles eso; pero estaban empeñados en hacerme pasar un mal rato°.

Una noche, después de unos meses de aguantar° todas sus hostilidades y de tratar que Paco recapacitara, estallé° en un llanto° histérico. Le dije a Paco, enfrente de todos, en el momento en que nos sentábamos a cenar, que por qué tanto hablar horrores de Stalin por haber orillado° a su esposa al suicidio, si él estaba haciendo lo mismo conmigo. Entonces, el muy malvado°, sacó su pistola (un arma enorme que yo nunca había tocado y me causaba temor), y colocándola° en mi mano me dijo, "Anda, date un tiro°". Estaba hasta el copete° de Paco y sus fechorías°, así es que sin reflexionar en las consecuencias lo desenmascaré° (según mi criterio) contándoles que Paco era un oportunista vil, que su ambición no tenía límite, que lo movía su vanidad, que desde niño soñaba con sobresalir°, que su madre le alimentaba° la ilusión de que estaba destinado a convertirse en un ser superior, porque tenía que superar la fama de su padre que fue un destacado° general en el gobierno de Ubico[4]. Primero intentó destacar en México, como un gran industrial, utilizando mi pequeño ne-

to give up
border
flophouse/bed linen/mattress/ filthy
huts/prostitutes
was beating
customer
very surprised
through/code
to fulfill
*assignment/*me… *insulted and abused me/expenses/*empeñados… *determined to give me a hard time/endure/I burst/tears*
driven
evil
placing it
shoot yourself/I was fed up/villainy/unmasked
to be outstanding
fed
outstanding

[2] City in Mexico near the border with Guatemala.

[3] *Distrito Federal*, meaning the capital, Mexico City.

[4] Jorge Ubico (1878-1946), President of Guatemala who ruled as dictator from 1931 to 1944 when ousted by an alliance between the middle-class and the army.

gocio en el que yo lo había nombrado gerente° cuando nos casamos, para hacerlo crecer falsamente con créditos bancarios insostenibles y con medidas° fraudulentas; todo por convertirse en un hombre de negocios "importante". Hasta que se dio cuenta de que se le caía el mundo encima°, que no podía cumplir con sus compromisos°, que el negocio estaba en quiebra°; que nos quedábamos en la ruina. Entonces me dejó con el paquete° y se largó° a Guatemala, donde hizo contacto con Yon Sosa y logró con su habilidad (pues fue él quien consiguió apoyo financiero para el Movimiento), colarse dentro de un lugar preponderante° en el Movimiento, quedando como Comandante de la Guerrilla Urbana, con todas las facultades de mando que esto le otorgaba°. Les informé que ya no podía yo seguir en la lucha, que no estaba de acuerdo con la manera en que la dirigían, que no daba un paso más, que me retiraba definitivamente. Entonces me dijeron que debería comprender que les era imposible permitir que yo me separara; sabía demasiado y no podían correr el riesgo° de ser denunciados o traicionados; que se veían obligados por las circunstancias a tomar medidas drásticas (fusilarme°). Paco sabía que yo era incapaz de delatarlos°, aunque los demás no me conocieran suficientemente para tenerme confianza°, pero como comprendí que Paco estaba implacable porque yo lo había desenmascarado, temí que se vengara° apoyando esa postura de los dirigentes. Después de unos días de estar en calidad de arrestada en mi cuarto, el instinto de conservación predominó y los convoqué para pedirle una disculpa° a Paco enfrente de todos. Les dije que llevada por la desesperación denigré° a mi compañero, que no era cierto lo que les había dicho, que Paco era un valiente luchador por sus ideales y que merecía el respeto y el afecto de todos los que estábamos a su lado unidos por principios e ideales. Le pedí perdón al cabrón°. Y ahora, a pesar de estar ya muerto, lo detesto con toda mi alma. No le perdono haberme obligado a humillarme ante él, por salvar el pellejo°. Me sentí como el escarabajo° de Kafka.[5]

No llegaron inmediatamente a una determinación respecto a mí, así que seguía en espera y con zozobra° de saber cuál sería mi destino. Tenía el Movimiento varias casas alquiladas° donde se hospedaban los guerrilleros urbanos, vivían clandestinamente, en comunidad, hombres y mujeres. En un momento dado, me encontré en una casa sola con Paco, pues la táctica era de estar lo más dispersos posible. Un día se nos informó, por conducto de un simpatizante en el ejército, que se habían ordenado cinco mil raciones para tantos soldados, que seguramente se

manager
measures
se... *his world was falling apart/obligations/bankruptcy/the problems/he took off/dominant*
granted
risk
shoot me
denounce them
to trust me
would avenge himself
to apologize
insulted
male goat (here an insult)
por... *to save my skin/beetle*
anxiety
rented

[5] Reference to *Metamorphosis,* a famous short story by Franz Kafka (1883-1924) about a man who wakes up one day and finds he has turned into a bug, Kafka's vision of man's alienation in the modern world.

preparaba una incursión hacia la montaña para copar° a los grupos que operaban allá, bajo el comando de Yon Sosa y del comandante Luis Turcios.

Era preciso avisarles° para que se dispersaran; se convertían rápidamente en campesinos dedicados a sus labores. Después de una sesión del "Comité Central," se decidió mandar a un compañero apodado° "Chinto" (todos teníamos apodos y pasaportes falsos). Chinto tenía que viajar en autobús toda la noche y atravesar varios pueblos en los que forzosamente los pasajeros pasan por inspección policíaca. Chinto ya estaba fichado°, buscado por la Guardia Nacional, así es que era sumamente peligroso exponerlo con el riesgo de que cayera en manos del gobierno y lo hicieran hablar bajo tortura y denunciara a toda la organización. Traté de hacerle comprender a Paco lo peligroso que era mandar a Chinto, que escogiera a otro muchacho para esta tarea; me explicó que así lo había determinado el Comité Central (es decir los trotskistas). Intenté° persuadirlo de que él seguía siendo el Comandante, que la responsabilidad era de él, que no permitiera que el grupo que estaba integrado por muchachos ajenos a nuestro Movimiento, decidieran en cosas tan importantes como la sobrevivencia de los compañeros y de la Guerrilla misma. No me hizo caso°. Pasamos varias horas en estado de alerta, fumando, sin acostarnos, hasta que se le ocurrió a Paco que nos saliéramos de la casa y fuéramos a pasar la noche en algún lugar más seguro, porque no sería difícil que en la madrugada° vinieran los soldados por nosotros, después de haber capturado a Chinto. Me indigné, le dije que era un irresponsable, un cobarde, que después de ser el culpable° de esta situación, sólo pensaba en salvar el pellejo, dejando a todos los demás desamparados°. Le dije que lo único digno, honorable, era esperar y sufrir las consecuencias de su error; que no nos moveríamos de allí, ni él ni yo. Afortunadamente no pasó nada, pues Chinto disfrazado° de campesino pudo pasar inadvertido° y logró hacer contacto con nuestros compañeros y avisarles°, para que tomaran las precauciones necesarias.

Esta fue una de mis últimas intervenciones porque a los pocos días Paco me dijo que empacara mis cosas, me llevó al aeropuerto y me puso en un avión rumbo a mi país.

Un mes después supe que se regresaron a México los directivos de la Cuarta Internacional después de haber recogido su botín° de 50,000 dólares que Paco les dio. Abandonaron a su suerte a los jóvenes David Aguilar Mora y a su esposa Eunice, entre otros trotskistas mexicanos que ellos habían llevado a Guatemala. Los veintiocho compañeros, incluyendo a dos muchachas jóvenes, fueron asesinados. La noticia de la muerte de Paco me la dieron unos amigos que se enteraron° por la prensa° mexicana. No sentí pena°. No derramé° ni una lágrima°; para mí Paco no

cut off
warn them
nicknamed
had a police record
I tried
paid attention
dawn
the guilty one
unprotected
disguised
unnoticed
warn
loot
found out/press
sorrow/shed/tear

había muerto, ojalá hubiera sido así, porque vivía en mí con un odio y un rencor que yo no podía superar.

Yon Sosa y Turcios no cayeron en esa redada°. Estaban todavía en la montaña donde continuaron la lucha un par de años más. Se dice que Yon Sosa fue asesinado en territorio mexicano, cerca de la frontera, por soldados también mexicanos, para quitarle doscientos mil dólares que llevaba. Esto no se ha podido comprobar°. Turcios murió más o menos en la misma época, cuando al pisar el acelerador de su auto estalló una bomba...

Los primeros años de mi regreso a México estuve deprimida°: sin compañero, sin causa, sin negocio, sin dinero y con doce años más. Estaba amargada°; sentía rencor pensando que todo el esfuerzo había sido inútil. Ni siquiera logré conseguir trabajo, hasta° mis antiguos maestros me cerraron las puertas. Pero a pesar de lo desesperada de la situación no traicioné mis valores°, no acepté situaciones fáciles que me hubieran sacada del apuro°. No claudiqué.

He hablado de la soledad interior que ha sido mi sino° de toda la vida (y de todo ser humano quizá); creo que una de las pocas veces en que he sentido lazos° de fraternidad sinceros que no dejaban lugar a la soledad, fue ésta; cuando compartí° todo con el grupo de muchachos y muchachas: ideales, peligros, hasta la ropa que traíamos encima°.

ambush
prove
depressed
embittered
even
values
gotten me out of the mess/fate
ties
shared
on our backs

Conversación

1. ¿Cuál es tu impresión de la personalidad de Alicia Echeverría?
2. ¿Cuál es tu impresión de Paco?
3. ¿Podrías describir la misma situación desde el punto de vista de Paco?
4. ¿Te atrae la idea de ser guerrillero(a)? Explica tu reacción.
5. ¿Qué aprendemos de esta narración que pueda ser útil para comprender la situación en varios países de América Central o de América del Sur?
6. Si hicieran una película de este libro, ¿qué actriz escogerías para desempeñar el papel de Alicia? ¿qué actor escogerías para el papel de Paco?
7. ¿Qué opinas acerca de la relación entre el odio y el amor? Explica tus ideas refiriéndote a la relación entre Alicia y Paco.

Breve episodio de la vida de una mujer gorda

BRIGIDA ALEXANDER

INTRODUCTION: At its most obvious level "Breve episodio de la vida de una mujer gorda" seems to be only an insignificant day-dream in the life of a fat woman. It is written in the first person and is occasionally punctuated by the narrator's stream of consciousness. Sometimes, as in the opening scene with the pharmacist, and much to his consternation, she even speaks her inner thoughts aloud. Although extraordinarily simple in vocabulary and syntax, there is more to this little story than you might suspect.

In theme it may easily be compared to Cervantes' masterpiece, *Don Quijote*, with its conflict between reality and our inner fantasies. In this modern version the protagonist is not the lean, aging *hidalgo* (country squire) who sees the world through the prism of books of chivalry, but a fat grandmother who indulges in the romantic illusions normally associated with much younger women. Here the innocent scientist, who is completely unaware of how his presence is affecting his elderly translator, may be compared to the imaginary Dulcinea in *Don Quijote*. Both are subject to the longing of an aged protagonist. And the disrespectful maid plays the same role as Don Quijote's Sancho Panza; that is, both try continually to bring their employers back to everyday reality. In both stories this mundane reality eventually triumphs. The *señora* abandons her dreams of youthful romance just as Don Quijote renounces his knightly adventures. And as in the case of Don Quijote, part of the *señora*, too, dies with her fantasies.

This story can also be interpreted as a conflict between lust and gluttony, with the latter vice as the victor (since it is more easily satisfied).

The only element in the story which could present difficulty for the reader is the author's personal style of punctuation. Thoughts at times rush together without separation by periods or commas. The reader should try to supply these mentally.

Breve episodio de la vida de una mujer gorda

Ayer me dijo el de la farmacia:

—En el fondo, la soledad no es más que la ausencia de gente de molesta°.

—Una aspirina, don Florencio... y ¿qué le daría a mi hijita que hace verde°?

Don Florencio despacha° diligentemente a su clienta.

—Una cucharadita° cada tres horas...

—También de la gente agradable —digo.

—Perdone, señora, ¿qué dijo?, es que esa mujer con su niña toda la vida se la pasa con diarrea. ¡Qué profesión la mía! ¿Qué decía usted?

—Decía que también de la gente agradable —repito, como una imbécil.

El me mira como si hubiera perdido la razón y sigue atendiendo a° dos mocositos°.

—¿Cuánto valen estos dulces, don Florencio?

—Dos por tres pesos.

—Pero si somos tres, y no tenemos más que dos pesos.

—Ni modo°.

Pienso que yo podría dar el peso faltante, pero algo me causa una pereza° inexplicable, por nada del mundo me decidiría en este minuto a hundir° mi mano en este bolso° lleno de cosas que desde hace mucho tiempo han perdido todo significado° inmediato. Las cosas de interés inmediato, las llaves por ejemplo, nunca están ahí, en ese abismo°. Regreso a casa. Eulalia me recibe con su cara de vinagre.

—¿No llamó nadie?

—No.

—¿Cómo es posible?, alguien debe haber llamado, ¿mi hija?

—Pues no llamó, ¿qué quiere que haga? Una que es humilde sí tiene estimación por su mamá de una°, pero... —se pierde en un murmullo.

—¿Y cartas?

—Tampoco —lo dice con sádica° satisfacción.

—Pero yo vi al cartero° con mucha correspondencia, abajo, en la escalera°.

—Era para la del uno°.

—Entonces sírveme la sopa.

annoying
has green bowel movements/sends off/teaspoon
waiting on
pipsqueaks
too bad (here)
laziness
sink/purse
meaning
bottomless pit
her mother
cruel
mailman
stairway
the tenant in apartment 1

Recargo° mi periódico contra el salero° que se cae, lo vuelvo a parar y repito la operación, esta vez con éxito°.

lean/saltshaker
success

Comiendo mi sopa leo: "Tras de las rejas°" ...Qué agradable es no estar detrás de las rejas. Me figuro el patio, la celda°, y me pongo contenta, al mismo tiempo que decido que es imprescindible que haga algo para ayudar a esa gente en la cárcel°. Lo he decidido cien veces, pero siempre se interpone algo. Iba a visitar a unos amigos presos°, inocentes probablemente, pero pasaron los días y sólo quedó mi vaga buena intención.

tras... *behind bars*
jail cell
jail
jailed

Vuelve a caerse el salero. Entonces escojo el botellón° del agua, pero no llego a acomodarlo bien, el periódico se dobla°, y vuelvo al salero. Suena el teléfono.

large bottle
bends

—Contesta que no estoy. (No sé por qué lo digo, es para hacerme la disgustada°, porque en realidad quisiera precipitarme° sobre el teléfono, cubrirlo con mi cuerpo, y oír su sonido dentro de mi vientre°, confundiéndose con mi vida.)

para... *to pretend I'm aloof/throw myself/womb*

La criada cuelga°.

hangs up

—¿Quién era?

—Equivocado°.

wrong number

—¿Cómo que equivocado?, ni preguntaste para quién era.

—¿Quién ha de ser? La extensión trece del Hospital Colón, como si no lo supiera.

Voy a escribir una carta —a los de teléfonos°—que diga: Señores, es absolutamente insufrible que me molesten a las tres de la tarde y a las cuatro de la mañana con llamadas equivocadas al Hospital Colón; no pago quinientos pesos mensuales°, o cuanto sea, ni sé, para convertirme en el receptáculo de todas las llamadas equivocadas de México. Y recibiría una respuesta —como las que ya recibí en otras ocasiones: Señora nuestra: hemos dado instrucciones para que se investigue el origen de... etcétera.

to the Telephone Company
monthly

—Tráeme la carne.

Suena el teléfono.

—¿Contesto o no?

—No, no contestes, será el mismo idiota que quiere hablar con la extensión trece.

Me viene un remordimiento°, me figuro° que ha de ser una persona muy afligida°, cuya madre o marido se opera, y yo que le contesto majaderamente°. Debería proporcionarles consuelo°, a veces una voz así, gentil, cambia todo, hasta podría impedir un suicidio... cursilería°, a la mierda°. Me levanto y me precipito° al teléfono, pero ya dejó de llamar.

remorse/I imagine/suffering
foolishly/consolation/bad taste
oh, the hell with it (vulgar)/I rush/

—¿Qué hay de dulce°?

what's for dessert

—Gelatina.

—Pues tráela. O no, no la traigas, dame mi café.

Otra vez el teléfono. La criada me espía°, ella sabe que yo me muero por contestar, y me da una rabia° vana, pero no puedo disimular mi satisfacción, casi corro. Una voz desconocida. Es así como empezó. Una voz desconocida que me preguntó:

eyes me / *it makes me angry*

—Perdone, quisiera hablar con la señora Valdivia.

—Habla usted con ella —dije, ni muy amable ni tampoco de muy mala manera.

—Ah, ¿es usted? —dijo la voz, sorprendida.

—Sí, ¿por qué no he de ser yo°?

no... *shouldn't it be me*

—Es que, perdone señora, yo no sé, pero creía que usted tenía otra clase de voz.

—¿Por qué? —dije, ya medio divertida°, mirándome en el espejo de enfrente y metiendo la barriga°.

amused / *holding in my belly*

—Una voz... como diría... de persona mayor.

Metí la barriga un poco más, sonreí al espejo y dije bajando la voz un poco, haciéndola ovárica°.

sexy

—Oiga, ¿y se puede saber quién es usted, y por qué hace suposiciones sobre mi voz?

—Soy un amigo de su hijo Mario y me figuraba...

—¿El qué?

Decidí que iba a cambiar de perfume, algo más fresco, menos oriental.

—Nada, perdone, pero tiene usted una voz demasiado joven para ser la madre de Mario.

—Muy amable. Pero tranquilícese, no es más que la voz. ¿Y qué desea?

—Oh, perdón, se me olvidó; usted es traductora, ¿verdad?

—Sí —dije con voz seria.

En el fondo° podría quedarme con° el mismo perfume, era un frasco° grande, no lo iba a desperdiciar° en esta forma. Tampoco sonreí ya al espejo. Durante un momento se me había ocurrido que esta llamada telefónica iba a cambiar el curso de mi vida, pero qué va°, una aburrida traducción más.

after all/keep / *bottle/to waste* / *no way*

—Señora, ¿me escucha usted?

—Sí señor, claro... ¿por qué no lo iba a escuchar?

—Es que se quedó callada.

Por ejemplo, al regresar a mi casa meto cualquier llave en la chapa°, y si se abre en seguida, si atiné°, entonces tendré suerte en todo lo que emprenda°; si es la segunda llave, suerte regular; si es la última, la perspectiva es negra. Siempre espero algún milagro, entre otras cosas algo que me quite la gordura, que haga caer como por encanto° el rollo de mi

lock / *I guessed right* / *I undertake* / *magic*

cintura°, la tapa° de grasa de mis muslos°; compré un té de esos que anuncian, "Obesidad, sin dieta molesta, perderá usted diez o quince kilos en ocho días. Testimonio del señor X, antes y después: Merced° a este extraordinario remedio he recobrado° mi figura juvenil, mi buen humor, el amor de mi adorada esposa. Trabajo sin cansancio y mi vida es distinta desde que tomo el maravilloso té: Elíxir del Ganges." Sí, pero después de dos días de este té que sabe a agua de trastos°, renuncié a él y lo sustituí por una copita de tequila con sangrita°... porque después de todo, a lo mejor° sólo me quedan dos años de vida, por qué no aprovecharlos comiendo todo, ¡todo! El amor ¡al demonio!, ya pasó, hay un tiempo para ser madre, uno para abuela, etcétera —solía° decir no sé qué imbécil—, pues ello me confiere el derecho de engullir°. El promedio° de vida, según mi cardiólogo, para la gente delgada, corresponde a una curva prometedora°, mientras que la de la gente gorda no es más que un cachito° cortito, pero como siempre hay excepciones a la regla, yo seré la excepción. Además, me podrán injertar° un corazón de ternera°, parece que esto se hace, y total, corazón de ternera o el mío, lo mismo da°.

—...es una obra bastante difícil de traducir, como usted comprenderá.

Qué voy a comprender, si ni escuché.

—¿A qué idioma? —dije con voz neutra. Estaba a mil leguas de todo esto.

Me sentía como aislada del mundo, de él, por una capa° de algodón°.

—Ya le dije, al alemán, ¿no lo domina° usted?

—Pues sí. Pero, ¿para cuándo quiere usted esa traducción?

—Para ayer.

La fecha acostumbrada de todos los clientes de los traductores. Ayer. A veces anteayer.

—Pues mándemela.

—Se la llevaré personalmente, porque le quisiera explicar algunas cosas.

—Está bien. Venga después de las ocho de la noche.

Por las dudas°, por vieja costumbre, antiguos reflejos, me arreglé la cara. Cambié de vestido, me eché el perfume consabido°, puse un disco, lo quité y lloré. A veces lloro sin razón, parece que son cosas de la edad dizque° crítica, como si hubiera alguna edad no crítica. Después me puse cubitos de hielo° en los ojos.

Miré por la ventana, la avenida estaba mojada° y reflejaba en su oscura y húmeda superficie todos los odiosos alumbrados° de gas neón.

Pensé en mi abuela, cuando prendía su lámpara de gas que hacía un ruidito extraño, como el zumbido° de una abeja°, y este ruidito creaba

waist/layer/thighs
thanks
recovered
sabe... *tastes like dishwater/a liqueur/maybe*
used to
gobble (food)/ average
promising
little dot
implant/calf
it's all the same
layer
cotton
aren't you fluent?
just in case
usual
so-called
ice
wet
lighted signs
buzzing/bee

un ambiente de calor hogareño°, de seguridad; entonces llegaba mi abuela en su bata lila°, llamaba al abuelo y nos sentábamos a jugar al dominó. El abuelo tenía unos bigotes° blancos, en cuyas terminales había siempre un ligero recuerdo de las comidas acumuladas de varios días. Mi abuela ponía a mi lado un platito con golosinas°, el abuelo me robaba chocolates y nueces°, y su mujer lo regañaba°. Hombre —decía, porque así se trataban ellos; él nunca le decía Rosa, y ella nunca le llamaba Otto, sino Hombre y Mujer—tú no debes comer esas cosas, bien que lo sabes. A callar, mujer, decía el abuelo, y seguía robándome las golosinas.

No sé por qué pensé en mi abuelo y mi abuela, al esperar una estúpida traducción. Aquellos eran tiempos antediluvianos°, para qué sacarlos del olvido.

Tocaron el timbre, apreté el botón del portero° electrónico; ¡qué lejos los tiempos de mi portera chismosa°, pero quien tenía una voz no electrónica, una voz chillona° que salía de una garganta!

De pronto oí unos pasos de esos que se describen como “elásticos” o “dinámicos” en la escalera, y ante mí apareció un ser que sencillamente no me esperaba°.

Desde luego era joven, desde luego era apuesto° y viril, pero además tenía una expresión de dulzura y de orgullo°, de una vanidad conmovedora°.

—¿Usted es la señora Valdivia?

—Pase usted señor; sí, yo soy. Tome asiento.

El se quitó su impermeable y me miró con ojos miopes° que lo hacían más vulnerable y más accesible.

Tomé su abrigo y lo colgué° en el perchero°.

—A ver esa traducción.

Me explicó que él era físico, pero que a veces escribía, era su pasatiempo. Que un físico alemán o austriaco, amigo suyo, había leído sus novelas y lo había animado° a enviarlas ya traducidas a un editor alemán.

Y yo pensé: Pues habla, habla, qué me importa, porque así te quedas un instante más, y respiro algo que no he respirado en mucho tiempo, algo que es hasta mejor que comer. Mañana, decidí, voy a empezar a adelgazar definitivamente, esas galletas° *Pesopluma*° en la mañana y en la noche, y a mediodía comeré normalmente, o no, no comeré nada durante tres días, sólo jugos.

Hablamos de fechas, dinero, le hice un café, y lo miré, para quedarme con algo de él después de que se marchara. Y se marchó.

Apagué las luces y me apreté° contra la pared fría, como si fuera un cuerpo humano, y le di un lento, desapasionado y singular beso al muro, que lo recogió° en silencio.

homey
lavender robe
moustache
goodies
walnuts/scolded
ancient
doorman
gossipy
shrill
un... *a creature I hadn't been expecting/handsome/pride/moving*
nearsighted
hung/clothes rack
encouraged
crackers/Featherweight
I pressed myself
received

Después me metí en la cocina, y decidí que iba a comer mi última cena opípara°: queso, huevos y media botella de vino, pastel del día anterior.

sumptuous

Tomé un baño caliente, de esos de burbujas°, y traté de esconder mi barriga en la espuma°. Tomé un espejo y me hallé superlativamente bella.

bubbles
foam

Preparé mucho café y me puse a traducir toda la noche.

A la mañana siguiente, perfumada, arreglada, me probé° seis vestidos, uno tras otro, después volví al primero, uno de color gris ratón°, pero que me había valido el día anterior un piropo° de un empleado municipal de limpieza, en otras palabras, del basurero°: "Mamasota°, te invito al cine," deliciosa y fina invitación que me causó más gusto que un diploma de la Real Academia[1]. Y llevé la traducción y el lapicero de oro° que mi poeta había olvidado la noche anterior. Lo había perfumado, pero después me dio vergüenza° tanta cursilería y lo lavé, después lo besé y me regañé a mí misma. Además, me había comido medio frasco de mermelada y el lapicero estaba pegajoso°.

I tried on
mousy grey
compliment
garbageman/big mama
gold pencil
shame
sticky

El poeta, en severa bata blanca, me recibió entre sus recipientes de laboratorio, y no se me ocurrió nada a pesar de que traté de encontrar algo inolvidable, algo decisivo que decir; finalmente, señalé con la cabeza algunos borregos° que pastaban° a un lado del edificio y dije:

sheep/grazed

—Están a la izquierda, traen buena suerte.

—Depende de cómo se coloque uno° —me dijo sonriendo.

where you stand

En su escritorio tenía, naturalmente, la foto de una esposa muy bella y unos niños encantadores. La pared estaba tapizada° de diplomas, y mi poeta científico, retratado en bata con otros hombres de ciencia, en Cambridge, y también con casco tropical°, y siempre tenía esa dulce expresión de extrema sorpresa por ser *such a fine fellow*.

covered
pith helmet

Me dijo que le gustaba el golf, mientras yo buscaba los timbres fiscales° de mi recibo° en el enredado antro° de mi bolsa, pensando, mientras tanto, en lo que iba a comer hoy y mañana, y la dieta para qué... El golf, qué *snob*... cómo odio a los *snobs*...

official stamps/ receipt/tangled cavern

¿Por qué no me dice él: Mamasota, te invito al cine?, esto hubiera sido mucho más razonable, visto° lo breve de la vida, que él desperdiciaba jugando al golf.

in view of

Me habló de sus investigaciones, que le habían llevado a países inverosímiles°, y me imaginaba yo andando detrás de él, en el delgado aire de los Andes, para dormir en un campamento con todo y todo, claro. Pero no, no debía tener visiones de esta índole, porque era tan pura su vanidad, tan conmovedor su orgullo, tan auténtica su satisfacción de ser lo que era, un joven marido exitoso°, un señor del cual se decía: "Este irá

exotic
successful

[1] The Spanish Royal Academy of Language and *Belles-Lettres*.

lejos", que me avergoncé de mis morbosas fantasías. Me di una bofetada° moral. Era una mujer sucia que sólo pensaba en cosas del sexo. ¿Por qué no podía yo tener imágenes limpias? Por ejemplo, algo como un gran salón de Embajada, él entra con su joven y bella esposa y yo estoy del otro lado del salón, con el agregado° naval, y sólo lo saludo de lejos a él, y por más que trate, no logro° sacarlo al parque de la Embajada y atravesar el pasto° con él para sentarnos en un banco°, y charlar apaciblemente, con la música que apenas llega hasta nosotros, a través del frondoso° jardín nocturno.

slap
attaché
succeed
lawn/bench
leafy

Después de hablar de muchas cosas y sin poder encontrar las palabras clave que hubiera querido que salieran de mi boca, me despedí, no encontrando nada para provocar una nueva entrevista, ya que él iba a enviar la muestra° de la traducción al editor y pasarían muchos meses.

sample

Esto del nudo en la garganta°, francamente no es sólo literatura. Yo lo sentí una vez, al comer un sandwich de jamón, cuando se murió mi abuela. No la de la bata lila, la otra que era bella pero desdichada°, según decían en la familia. No bajaba el sandwich, porque una bolita en la garganta no lo dejaba pasar. Así me hallé en aquel instante, con un nudo en la garganta. Llena de indecisiones, mis pies se dirigieron a la puerta como un caballo que va al establo.

Esto... *that lump in your throat business/*
unhappy

Al llegar a la calle, buscando en el abismo de mi bolsa no sé qué objeto, me encontré con el lapicero de oro que se me había olvidado devolver. Regresé, pero de repente° me detuve; idea genial: No se lo iba a devolver. Iba a llamarle al día siguiente con mi voz más hormónica y ofrecerle llevárselo. Llegué a mi casa donde saqué el lapicero colocándolo delicadamente en el buró°, y lo miré como a un perro de raza fina°. Fue tan grande mi agitación que me levanté a las dos de la mañana para prepararme un chocolate caliente y unos panecillos° con mantequilla. Al demonio la dieta, por ese maldito físico con sus ambiciones literarias y su esposa en un marco° de plata, no iba a privarme de lo único que vale, porque no será él quien sustituya la delicia del chocolate caliente, no será él el que venga a calentar mi lecho helado° con su cuerpo de golf, al demonio todos los *snobs*, y ¡vengan los panecillos!

suddenly
bureau/de... *pedigreed*
rolls
frame
freezing bed

Por la noche soñé: Nada de mi amado futuro Premio Nobel, sino algo de pájaros negros, grandes, que me tapaban° y me cortaban la respiración; ninguno se parecía al físico y me desperté bañada en sudor°. Eran las seis de la mañana, lloviznaba°, cielo nublado sin esperanza. La avenida mojada tenía reflejos violetas de amanecer° de niño muerto. El lapicero descansaba indiferente en el buró.

covered
sweat
it was drizzling
dawn

Decidí pasar el día en la cama, total° era sábado; me eché capas de crema, guardando el lapicero, cuyo aspecto me lastimaba, en el cajón°.

after all
drawer

—Eulalia, tráeme huevos con chorizo°.

Spanish sausage

—¿No que hacía dieta?

—Qué te importa, traeme lo que te digo. Y pan tostado, y no pongas esa cara burlona°.

mocking

—¿Pues qué cara quiere que ponga? A mí me pagan para trabajar y no para sonreír, yo no tengo la culpa de que mi madre, que en paz descanse, me la haiga[2] hecho así.

—Haya.

—¿Cuál haya?

—No se dice haiga, se dice haya.

—¡Ay, no son ni las siete y ya empieza usted con sus cosas!

Un día de éstos° la mato, pero no hoy —pienso—, que me traiga primero los suculentos huevos con chorizo. Me los sirvió en la cama y disfruté con cuerpo y alma este platillo.

One of these days

A las once me metí a la regadera°. Y a las once tocaron°.

shower/the bell rang

—Señora, ahí está el señor del lapicero.

—Bueno, hazlo pasar.

—¿Qué le digo?

—Que en seguida voy.

Me quedé bajo el agua caliente sin pensar ya en nada. Traté de decidir algo, ¿por qué vino? Hubiera bastado con mandar al mozo, a su secretaria, pero no, ya no tenía importancia. Así, como esta agua, así era todo, bajaba, bajaba, en fin, no sé.

—Señora, dice el señor que ya se tiene que ir.

—Dale su lapicero y dile que me disculpe°.

pardon me

—¿Dónde está?

—En mi cajón, al lado del perfume.

Y seguí bañándome; después de un rato el agua se puso tibia°, fría, helada. Cerré la llave° y me envolví en mi bata.

lukewarm
faucet

—Eulalia, prepara la comida. Haces unas papas fritas, hígado con cebolla°, abres el vino francés y me lo vuelves a traer todo a la cama, a las dos en punto a más tardar°.

liver with onions
at the latest

—¿Será la nueva dieta que le recetó° el médico? —dijo Eulalia con su voz de bacinica rota°. Y soy poco amable para con las bacinicas; recipientes destinados a tiernas nalguitas rosadas°, las de mi nieta, por ejemplo.

prescribed
broken bedpan
little pink buttocks

—Sí, es la nueva dieta, la nueva dieta, y apúrate°, porque tengo hambre y frío.

hurry up

[2] uneducated speech for *haya*

Conversación o composición

1. ¿Simpatizas con la narradora o la encuentras ridícula? Explica.
2. ¿Podrías escribir el mismo cuento desde el punto de vista del joven científico? ¿desde el punto de vista de la criada?
3. ¿Podrías pensar en una situación en la cual tu papel es semejante al de la señora? (Por ejemplo, la estrella del cine de la cual estás enamorado(a) viene al restaurante donde tú trabajas de mesero(a) y se sienta a tu mesa.) Describe tus emociones. ¿Qué pasaría?
4. En tus sueños de la felicidad, ¿entra el amor? ¿la buena comida? ¿el éxito profesional? ¿la riqueza? ¿los viajes a países exóticos? ¿Cuál de estas cosas tiene más importancia?
5. ¿Por qué, al final del cuento, no le entrega al científico su lapicero la Sra. Valdivia? ¿Cómo habrías tú terminado el cuento?

El recado

ELENA PONIATOWSKA

INTRODUCTION: In an interview previously published[1], Elena Poniatowska said that the following story, "El recado" (The Message), is autobiographical. Although written in Paris in 1965, it reflects an episode of her youth in Mexico City. She said she still remembers perfectly her loneliness *(soledad)*, the wall *(muro)*, the odor of honeysuckle *(madreselva)*. Elena has also said that this story is actually a good-bye letter — after this the couple will see each other no more.

Can you find samples in her writing that reflect this desolation? What elements in the setting indicate that this is the end rather than the beginning of a romantic relationship?

Notice the very ending of the story. Is the letter ever sent? Would you describe the writer's mood as decisive or wavering? Why do you think this is so?

Keep these questions in mind as you read the story. Since you need not worry about the meanings of the words, which are glossed, think about their sound and their symbolism. For example, what does the statement "*Aquí estoy contra el muro de tu casa, así como estoy a veces contra el muro de tu espalda* (back)" (line 11) suggest about the closeness of the relationship? Repeat *el muro* aloud several times. Is the sound a happy one, or do you hear its wailing quality? Notice, too, that the day is just about over (*va a decaer*, line 15) and that a few lines later (line 30) the sun has already set, a reference to the very brief tropical twilight. What mood does this suggest to you?

---

[1] See Teresa Méndez-Faith, *Con-Textos* (Holt, Rinehart and Winston, 1986).

El recado

Vine, Martín, y no estás. Me he sentado en el peldaño° de tu casa, recargada° en tu puerta, y pienso que en algún lugar de la ciudad, por una onda° que cruza el aire, debes intuir que aquí estoy. Es éste tu pedacito° de jardín; tu mimosa se inclina hacia afuera y los niños al pasar le arrancan° las ramas° más accesibles... En la tierra, sembradas° alrededor del muro, muy rectilíneas y serias, veo unas flores que tienen hojas como espadas°. Son azul marino°, parecen soldados. Son muy graves, muy derechas. Tú también eres un soldado. Marchas por la vida, uno, dos, uno, dos... Todo tu jardín es sólido, es como tú, tiene una reciedumbre° que inspira confianza.

step
leaning on
wave
little piece
pull/branches/planted
swords/navy blue
sturdiness

Aquí estoy contra el muro de tu casa, así como estoy a veces contra el muro de tu espalda. El sol da° también contra el vidrio de tu ventana y poco a poco se debilita porque ya es tarde. El cielo enrojecido° ha calentado tu madreselva° y su olor se vuelve aún más penetrante. Es el atardecer°. El día va a decaer°. Tu vecina pasa. No sé si me habrá visto. Va a regar° su pedazo de jardín. Recuerdo que ella te trae una sopa de pasta cuando estás enfermo y que su hija te pone inyecciones... Pienso en ti muy despacito°, como si te dibujara° dentro de mí y quedaras allí grabado°. Quisiera tener la certeza de que te voy a ver mañana y pasado mañana y siempre en una cadena° ininterrumpida de días; que podré mirarte lentamente aunque ya me sé cada rinconcito° de tu rostro°; que nada entre nosotros ha sido provisional o un accidente.

falls on
reddened
honeysuckle
sunset/decline
to water
slowly/sketched
engraved
chain
little corner/face

Estoy inclinada ante una hoja de papel y te escribo todo esto y pienso que ahora, en alguna cuadra° donde camines apresurado°, decidido como sueles° hacerlo, en alguna de esas calles por donde te imagino siempre: Donceles y Cinco de Febrero o Venustiano Carranza[2], en alguna de esas banquetas° grises y monocordes° rotas sólo por el remolino° de gente que va a tomar el camión, has de saber dentro de ti que te espero. Vine nada más a decirte que te quiero y como no estás te lo escribo. Ya casi no puedo escribir porque ya se fue el sol y no sé bien a bien° lo que te pongo. Afuera pasan más niños, corriendo. Y una señora con una olla° advierte° irritada: "No me sacudas° la mano porque voy a tirar° la leche..." Y dejo este lápiz, Martín, y dejo la hoja rayada° y dejo que mis brazos cuelguen° inútilmente a lo largo° de mi cuerpo y te espero. Pienso que te hubiera querido abrazar. A veces quisiera ser más vieja porque la juventud lleva en si° la imperiosa°, la implacable° necesidad de relacionarlo todo al amor.

city block/hurriedly/tend to
sidewalks/monotonous/crowd
for sure
pot/warns/shake/spill/lined paper/hang down/alongside
with it/urgent/unappeasable

---

[2] *Donceles... Carranza*: names of streets in Mexico City.

Ladra° un perro; ladra agresivamente. Creo que es hora de irme. Dentro de poco vendrá la vecina a prender° la luz de tu casa; ella tiene llave y encenderá el foco° de la recámara° que da hacia afuera porque en esta colonia[3] asaltan mucho, roban mucho. A los pobres les roban mucho; los pobres se roban entre sí°... Sabes, desde mi infancia me he sentado así a esperar, siempre fui dócil, porque te esperaba. Te esperaba a ti. Sé que todas las mujeres aguardan°. Aguardan la vida futura, todas esas imágenes forjadas° en la soledad, todo ese bosque que camina hacia ellas; toda esa inmensa promesa que es el hombre; una granada° que de pronto se abre y muestra sus granos rojos, lustrosos; una granada como una boca pulposa° de mil gajos°. Más tarde esas horas vividas en la imaginación, hechas° horas reales, tendrán que cobrar peso° y tamaño° y crudeza°. Todos estamos —oh mi amor— tan llenos de retratos° interiores, tan llenos de paisajes° no vividos.

Ha caído la noche y ya casi no veo lo que estoy borroneando° en la hoja rayada. Ya no percibo las letras. Allí donde no le entiendas en los espacios blancos, en los huecos°, pon: "Te quiero"... No sé si voy a echar esta hoja debajo de la puerta, no sé. Me has dado un tal respeto de ti mismo°... Quizá ahora que me vaya, sólo pase a pedirle a la vecina que te dé el recado; que te diga que vine.

bark
to turn on
lightbulb/bedroom
from each other
wait
forged
pomegranate
pulpy/segments (in a fruit)/that have become/ take on weight/ size/harshness/ pictures/imagined landscapes/ scribbling/gaps
Me... *you have made me look up to you so much*

Conversación

1. ¿Cómo describirías la relación entre la escritora y la persona a quien escribe?
2. Juzgando por los detalles de la carta, ¿qué sabemos acerca de la persona a quien escribe la autora?
3. ¿Tienes costumbre de escribir cartas amorosas a tu novio(a) o sólo usas el teléfono? ¿Cuáles son las ventajas y desventajas de cada método de comunicación?
4. La autora dice que "todas las mujeres aguardan la vida futura... toda esa inmensa promesa que es el hombre..." ¿Crees que esta descripción de la actitud femenina ante la vida es todavía cierta? Explica tu respuesta.
5. ¿Cómo describirías a la autora, juzgando sólo por lo que escribe en esta carta?
6. ¿Puedes contestar algunas de las preguntas que aparecen en la introducción al cuento?
7. Escribe otro cuento que incluya los detalles que no se encuentran aquí. (Composición).

[3] In Mexico City the neighborhoods are designated as "colonies."

Las dos Elenas

CARLOS FUENTES

INTRODUCTION: Like a number of Fuentes' other stories and novels, "Las dos Elenas" is about two women, one old, one young, each the complement of the other. And in certain ways, each *is* the other. In Fuentes' tales of fantasy his magical female characters are often different versions of the same person — one whose body can be rejuvenated to a more appealing form. They are two sides of the witch or enchantress. But in this story the two women are physically distinct. The only bond between them is that of mother and daughter.

Here the author sets out to make these two women seem poles apart. The daughter is a product of the sixties, completely unconventional in dress and in her opinions about societal norms. She gets "radical" ideas from French movies and proclaims her right to two husbands. The elder Elena seems the model of conventionality and Mexican bourgeois gentility. She suffers her daughter's outbursts with resignation, talks about her life's routine of bridal showers, card games, visits to sick friends, worries about young Elena's lack of propriety.

By and large the narrator of the story is Victor, husband of Elena, who is apparently so in love with his eccentric wife that he indulges all her whims, accompanies her patiently to the Sunday dinners where the interplay between generations takes place. And as in so many of Fuentes' other stories, there is an O'Henry type ending. When on Monday Elena goes off to her bohemian life of sketching, movies and conversations with black revolutionaries, Victor, the indulgent, conventional-looking husband-architect, does not go to work but heads directly back to her parents' estate for his rendezvous with the mother Elena. Apart from its shock value, the story is important because of several interesting points that Fuentes makes about Mexican society. In the contrast between young Elena's conversation (the liberated feminist voice of the present) and her bourgeois mother's almost incestuous relationship with Victor, we see the contrast between appearance and reality. Young Elena is in fact probably all theory in her promiscuous assertions and fools nobody but herself. Although she talks of a new era of openness in social relations in which women have the same privileges as men, she does not suspect that she is only being indulged by Victor because he knows that nothing has really changed, that it is the Mexican man who usually manages to keep both wife and mistress. This is an example of two of Fuentes' favorites themes: the persistent attraction to the past and to machismo in the Mexican psyche. Although the Mexican fools himself into thinking he is modern and liberated, he is always subject to the allure of the past, a past which is usually symbolized by an older woman.

The ironic treatment of sexual mores is also repeated with respect to Mexican middle-class feelings about racism. Although young Elena is fascinated by the plight of North American blacks and is rushing out to interview representatives of an oppressed race, she seems to make no connection between their exploitation and her own family's taking for granted the services of the poor Indian who acts as both gardener and waiter. For her, blacks are exotic and chic while Indians are practically invisible. Although her father comes across clearly as a racial bigot, we also suspect that Elena's theories of liberation are only skin deep.

Style

"Las dos Elenas," which is one of the stories in *Cantar de ciegos (Songs of the Blind)*, served as the basis for a Mexican film production. One of the reasons that Fuentes' works lend themselves to movie adaptation is his use of very rich visual details. (Fuentes has confessed to being a frustrated painter.) This story has, in fact, been dedicated to José Luis Cuevas, the painter whose interview also appears in this collection.

Readers might benefit from ignoring the parenthetical phrases in Fuentes' long sentences in the first reading and concentrating on the main ideas. For example, the sentence on line 83 would read: "while I was observing this face keenly disposed to listen..., this other (face) kindly offering to bridge the gaps of (her) logical reasoning..., the other who was inclined to formulate precise — and according to him — revealing questions..., I consoled myself, saying to myself that basically the little that they could give her they would give her after my influence on her had reached its limit." After thus establishing the skeleton of the sentence, the reader can now go back and fill in the parenthetical information.

Another difficult sentence begins on line 128. The first image that the sentence beginning with "*Elena fuma...*" portrays is of the couple listening to jazz and remembering the black musician playing his saxophone.We should place a mental period after the phrase "*la vida diaria.*" The second part of the sentence, beginning with "*y las notas lentas.*" tries to tie the music to the sensuality of the couple: "*Le dan un gusto y una dirección a nuestro tacto*" (they give a pleasure and a direction to our touching each other). This begins to translate the feeling of Lateef's instrument: it is just a preview, a prelude, a pure limitation to the preliminary pleasures, and for that reason, it becomes transformed into the very act. The implied reference is to the act of lovemaking for which Lateef's music has been the artistic equivalent.

In short, it is a good idea to read Fuentes' longer sentences quickly, see where they are going, pick out subject, verb and object and then go back to the individual words. Place imaginary periods before the point where a new subject is introduced.

It is also important to be aware of who is doing the narrating in each paragraph. In the first, it is Elena *madre* as we realize when she says "*mi hija.*" In the next paragraph Victor, the husband, takes over and continues for most of the story. Much of what Elena *madre* says is simply summarized by Victor, the principal narrator. Victor has everyone under his control, although his young wife does not realize it. Victor's detailed descriptions of his mother-in-law's appearance might make the reader think twice about their relationship. After all, mothers-in-law are not supposed to be so sexy! Can you find any other clues to the plot as you read the story?

Las dos Elenas

—No sé de dónde le salen esas ideas a Elena. Ella no fue educada de ese modo. Y usted tampoco, Víctor. Pero el hecho es que el matrimonio la ha cambiado. Sí, no cabe duda°. Creí que le iba a dar un ataque° a mi marido. Esas ideas no se pueden defender, y menos a la hora de la cena. Mi hija sabe muy bien que su padre necesita comer en paz. Si no, en seguida le sube la presión°. Se lo ha dicho el médico. Y después de todo, este médico sabe lo que dice. Por algo cobra a doscientos pesos la consulta°. Yo le ruego que hable con Elena. A mí no me hace caso°. Dígale que le soportamos° todo. Que no nos importa que desatienda° su hogar° por aprender francés. Que no nos importa que vaya a ver esas películas rarísimas a unos antros° llenos de melenudos°. Que no nos importan esas medias° rojas de payaso°. Pero que a la hora de la cena le diga a su padre que una mujer puede vivir con dos hombres para complementarse... Víctor, por su propio bien usted debe sacarle esas ideas de la cabeza a su mujer.

there's no doubt
heart attack
blood pressure
cobra... *charges $200 per visit/*
pays attention/
we put up with/
neglects/home/
dives/longhaired types/stockings/
clown

Desde que vio *Jules et Jim*[1] en un cine-club, Elena tuvo el duende° de llevar la batalla a la cena dominical° con sus padres —la única reunión obligatoria de la familia—. Al salir del cine, tomamos el MG y nos fuimos a cenar al Coyote Flaco[2] en Coyoacán.[3] Elena se veía, como siempre, muy bella con el suéter negro y la falda de cuero° y las medias que no le gustan a su mamá. Además, se había colgado una cadena de oro de la cual pendía° un tallado en jadeíta° que, según un amigo antropólogo, describe al príncipe Uno Muerte de los mixtecos.[4] Elena, que es siempre tan alegre y despreocupada°, se veía, esa noche, intensa: los colores se le habían subido a las mejillas° y apenas saludó° a los amigos que generalmente hacen tertulia[5] en ese restaurant un tanto gótico. Le pregunté qué deseaba ordenar y no me contestó; en vez, tomó mi puño° y me miró fijamente. Yo ordené dos pepitos con ajo° mientras Elena agitaba su cabellera° rosa pálida y se acariciaba el cuello°:

—Víctor, nibelungo[6], por primera vez me doy cuenta que ustedes tienen razón en ser misóginos° y que nosotras nacimos para que nos detesten. Ya no voy a fingir° más. He descubierto que la misoginia es la condición del amor. Ya sé que estoy equivocada, pero mientras más° necesidades exprese, más me vas a odiar y más me vas a tratar de satisfacer. Víctor, nibelungo, tienes que comprarme un traje de marinero° antiguo como el que saca° Jeanne Moreau.[7]

Yo le dije que me parecía perfecto, con tal de que lo siguiera esperando todo de mí. Elena me acarició la mano y sonrió.

—Ya sé que no terminas de liberarte, mi amor. Pero ten fe. Cuando acabes de darme todo lo que yo te pida, tú mismo rogarás° que otro hombre comparta° nuestras vidas. Tú mismo pedirás ser Jules. Tú mismo pedirás que Jim viva con nosotros y soporte el peso°. ¿No lo dijo el Güerito?[8] Amémonos los unos a los otros, cómo no.

Pensé que Elena podría tener razón en el futuro; sabía después de cuatro años de matrimonio que al lado suyo todas las reglas morales

had an itch to
Sunday dinner
leather
hung/jade figurine
carefree
los... *her cheeks were flushed/ greeted/fist*
steak and garlic sandwiches/hair/ neck
woman haters
pretend
the more
sailor suit
wears
will beg
share
carry the burden

---

[1] French film (1962) directed by François Truffaut, the story of a woman with two men.

[2] Name of an "in" restaurant.

[3] Fashionable suburb of Mexico City.

[4] A prince once revered by the *Mixtecos*, a tribe of Mexican indians.

[5] See interview with Carandell for a definition of *tertulia*.

[6] Nibelungo: a medieval Germanic knight. She uses the name as a term of endearment.

[7] A popular French movie actress of the 1960s. She played the female lead role in *Jules et Jim*.

[8] A Mexican slang term for Christ. Güero(a) means light complexioned.

aprendidas desde la niñez tendían a desvanecerse° naturalmente. Eso he amado siempre en ella: su naturalidad. Nunca niega una regla para imponer otra, sino para abrir una especie de puerta, como aquellas de los cuentos infantiles, donde cada hoja° ilustrada contiene el anuncio de un jardín, una cueva, un mar a los que se llega por la apertura° secreta de la página anterior.

tended to disappear
page
opening

—No quiero tener hijos antes de seis años —dijo una noche, recostada° sobre mis piernas, en el salón oscuro de nuestra casa, mientras escuchábamos discos de Cannonball Adderley[9] y en la misma casa de Coyoacán que hemos decorado con estofados° policromos y máscaras coloniales de ojos hipnóticos: —Tú nunca vas a misa y nadie dice nada. Yo tampoco iré y que digan lo que quieran; y en el altillo° que nos sirve de recámara y que en las mañanas claras recibe la luz de los volcanes:[10] —Voy a tomar el café con Alejandro hoy. Es un gran dibujante° y se cohibiría° si tú estuvieras presente y yo necesito que me explique a solas° algunas cosas; y mientras me sigue por los tablones° que comunican° los pisos inacabados del conjunto° de casas que construyo en el Desierto de los Leones[11] —Me voy diez días a viajar en tren por la República; y al tomar un café apresurado° en el Tirol a media tarde, mientras mueve los dedos en señal de saludo° a los amigos que pasan por la calle de Hamburgo:[12] —Gracias por llevarme a conocer el burdel°, nibelungo. Me pareció como de tiempos de Toulouse-Lautrec,[13] tan inocente como un cuento de Maupassant.[14] ¿Ya ves? Ahora averigüé° que el pecado y la depravación no están allí, sino en otra parte; y después de una exhibición privada de *El ángel exterminador*:[15] —Víctor, lo moral es todo lo que da vida y lo inmoral todo lo que quita vida, ¿verdad que sí?

leaning
quilted ornaments
attic
artist
he would feel inhibited/privately/ mientras... *while she follows me along the planks/connect/development/rushed/as a sign of greeting/house of prostitution/I determined*

Y ahora lo repitió, con un pedazo de sandwich en la boca: —¿Verdad que tengo razón? Si un *ménage à trois*[16] nos da vida y alegría y nos hace mejores en nuestras relaciones personales entre tres de lo que éramos en la relación entre dos, ¿verdad que eso es moral?

Asentí° mientras comía, escuchando el chisporroteo° de la carne que se asaba° a lo largo de la alta parrilla°. Varios amigos cuidaban de que sus

I agreed/crackling/was roasting/grill

[9] A popular North American musician of the 1960s.

[10] Iztaccihuatl and Popocatepetl: Two volcanoes near Mexico City.

[11] Suburb of Mexico City.

[12] A street in a wealthy, cosmopolitan tourist area.

[13] Henri de Toulouse-Lautrec (1865-1901), French painter famous for his portraits of prostitutes and theatrical figures.

[14] Guy de Maupassant (1850-1893), French writer of short stories and novels.

[15] Film of Luis Buñuel (1900-1985), Spanish surrealist.

[16] French for a three-way relationship.

rebanadas° estuvieran al punto que deseaban° y luego vinieron a sentarse con nosotros y Elena volvió a reír y a ser la de siempre°. Tuve la mala idea de recorrer los rostros de nuestros amigos con la mirada e imaginar a cada uno instalado en mi casa, dándole a Elena la porción de sentimiento, estímulo, pasión o inteligencia que yo, agotado° en mis límites, fuese incapaz de obsequiarle°. Mientras observaba este rostro agudamente dispuesto a escuchar (y yo a veces me canso de oírla), ése amablemente ofrecido a colmar las lagunas° de los razonamientos° (yo prefiero que su conversación carezca° de lógica o de consecuencias), aquél más inclinado a formular preguntas precisas y, según él, reveladoras (y yo nunca uso la palabra, sino el gesto° o la telepatía para poner a Elena en movimiento), me consolaba diciéndome que, al cabo°, lo poco que podrían darle se lo darían a partir de cierto extremo de mi vida con ella°, como un postre, un cordial, un añadido°. Aquél, el del peinado° a lo Ringo Starr, le preguntó precisa y reveladoramente por qué seguía siéndome fiel y Elena le contestó que la infidelidad era hoy una regla, igual que la comunión todos los viernes antes, y lo dejó de mirar. Ese, el del cuello de tortuga° negro, interpretó la respuesta de Elena añadiendo que, sin duda, mi mujer quería decir que ahora la fidelidad volvía a ser la actitud rebelde. Y éste, el del perfecto saco eduardiano°, sólo invitó con la mirada intensamente oblicua a que Elena hablara más: él sería el perfecto auditor°. Elena levantó los brazos y pidió un café express al mozo.

slices of meat/ estuvieran... *done to their satisfaction*/*be her old self*/*worn out*
bestow upon her
bridge the gaps/ *reasoning*/*lack*
gesture
in the end
lo poco... *what little they would give her would only be a postscript to my life with her*/ *something extra*/*hair style*/ *turtleneck*/*Edwardian-style jacket*/*listener*

Caminamos tomados de la mano° por las calles empedradas° de Coyoacán, bajo los fresnos°, experimentando° el contraste del día caluroso que se prendía° a nuestras ropas y la noche húmeda que, después del aguacero° de la tarde, sacaba brillo a nuestros ojos° y color a nuestras mejillas. Nos gusta caminar, en silencio, cabizbajos° y tomados de la mano, por las viejas calles que han sido, desde el principio, un punto de encuentro de nuestras comunes inclinaciones a la asimilación. Creo que de esto nunca hemos hablado Elena y yo. Ni hace falta°. Lo cierto es que nos da placer hacernos° de cosas viejas, como si las rescatáramos° de algún olvido doloroso o al tocarlas les diéramos nueva vida o al buscarles el sitio, la luz y el ambiente adecuados en la casa, en realidad nos estuviéramos defendiendo contra un olvido semejante en el futuro. Queda esa manija° con fauces° de león que encontramos en una hacienda de los Altos[17] y que acariciamos al abrir el zaguán° de la casa, a sabiendas° de que cada caricia° la desgasta°; queda la cruz de piedra en el jardín, iluminada por una luz amarilla, que representa cuatro ríos convergentes de corazones arrancados°, quizás, por las mismas manos que des-

hand in hand/ *cobblestoned*/ *ash trees*/*feeling*/ *clung*/*cloudburst*/*made our eyes shine*/*heads down*
nor do we have to
to acquire
as if we rescued them
doorknocker/*jaws*
hall
knowing/*caress*/ *wears it away*
torn out

[17] Los Altos de Jalisco, the Colonial heart of the country.

pués tallaron° la piedra,[18] y quedan los caballos negros de algún carrusel hace tiempo desmontado°, así como los mascarones de proa° de bergantines° que yacerán° en el fondo del mar, si no muestran su esqueleto de madera en alguna playa de cacatúas° solemnes y tortugas agonizantes°.

Elena se quita el suéter y enciende la chimenea°, mientras yo busco los discos de Cannonball, sirvo dos copas de ajenjo° y me recuesto a esperarla sobre el tapete°. Elena fuma con la cabeza sobre mis piernas y los dos escuchamos el lento saxo° del Hermano Lateef,[19] a quien conocimos en el Gold Bug de Nueva York, con su figura de brujo congolés° vestido por Disraeli,[20] sus ojos dormidos y gruesos°como dos boas africanas, su barbilla° de Svengali[21] segregado y sus labios morados° unidos al saxo que enmudece° al negro para hacerlo hablar con una elocuencia tan ajena° a su seguramente ronco° tartamudeo° de la vida diaria, y las notas lentas, de una plañidera° afirmación, que nunca alcanzan a decir todo lo que quieren porque sólo son, de principio a fin, una búsqueda° y una aproximación llenas de un extraño pudor°, le dan un gusto y una dirección a nuestro tacto°, que comienza a reproducir el sentido del instrumento de Lateef: puro anuncio, puro preludio, pura limitación a los goces° preliminares que, por ello, se convierten en el acto mismo.°

—Lo que están haciendo los negros americanos es voltearle el chirrión por el palito° a los blancos —dice Elena cuando tomamos nuestros consabidos° lugares en la enorme mesa chippendale del comedor de sus padres—. El amor, la música, la vitalidad de los negros obligan a los blancos a justificarse. Fíjense que ahora los blancos persiguen físicamente a los negros porque al fin se han dado cuenta de que los negros los persiguen sicológicamente a ellos.

—Pues yo doy gracias de que aquí no haya negros —dice el padre de Elena al servirse la sopa de poro° y papa que le ofrece, en una humeante sopera° de porcelana, el mozo indígena° que de día riega° los jardines de la casota° de las Lomas.[22]

—Pero eso qué tiene que ver°, papá. Es como si los esquimales° dieran gracias por no ser mexicanos. Cada quien es lo que es y ya°. Lo interesante es ver qué pasa cuando entramos en contacto con alguien que nos pone en duda y sin embargo sabemos que nos hace falta. Y que nos

carved
dismantled/figure-heads/clipper ships/may lie/ cockatoo parrots/ dying tortoises/ fireplace/absinthe liqueur/small rug/saxophone/ wizard from the Congo/thick/ chin/purple
silences
foreign/hoarse/ stuttering/plaintive/search
reserve
touch, caress
pleasures/the act itself
voltearle... *turn the tables/usual*
leek
steaming tureen/ Indian (native Mexican)/waters/mansion/ eso... *what does that have to do with it?/Eskimos/* cada... *and that's that*

[18] This is a strange hybrid of Christian and Aztec symbols. The cross is decorated by human hearts, presumably removed while still beating from the chests of those sacrificed by Aztec priests who later carved the stone cross.

[19] Yusef Lateef, a jazz musician.

[20] Benjamin Disraeli, 19th century British statesman.

[21] Late 19th century magician and hypnotist.

[22] Las Lomas de Chapultepec, a wealthy residential area of Mexico City.

hace falta porque nos niega°.

—Anda, come. Estas conversaciones se vuelven más idiotas cada domingo. Lo único que sé es que tú no te casaste con un negro, ¿verdad? Higinio, traiga las enchiladas.

Don José nos observa a Elena, a mí y a su esposa con aire de triunfo, y doña Elena madre, para salvar la conversación languideciente°, relata sus actividades de la semana pasada, yo observo el mobiliario° de brocado color palo-de-rosa°, los jarrones chinos°, las cortinas de gasa° y las alfombras de piel de vicuña de esta casa rectilínea detrás de cuyos enormes ventanales° se agitan los eucaliptos de la barranca°. Don José sonríe cuando Higinio le sirve las enchiladas copeteadas° de crema y sus ojillos° verdes se llenan de una satisfacción casi patriótica, la misma que he visto en ellos cuando el Presidente agita la bandera el 15 de septiembre,[23] aunque no la misma —mucho más húmeda— que los enternece° cuando se sienta a fumar un puro° frente a su sinfonola° privada y escucha boleros°. Mis ojos se detienen en la mano pálida de doña Elena, que juega con el migajón° de bolillo° y recuenta, con fatiga, todas las ocupaciones que la mantuvieron activa desde la última vez que nos vimos. Escucho de lejos esa catarata° de idas y venidas°, juegos de canasta°, visitas al dispensario de niños pobres, novenarios°, bailes de caridad°, búsqueda de cortinas nuevas, pleitos° con las criadas, largos telefonazos con los amigos, suspiradas° visitas a curas°, bebés, modistas°, médicos, relojeros, pasteleros°, ebanistas° y enmarcadores°. He detenido la mirada en sus dedos pálidos, largos y acariciantes, que hacen pelotitas con la migaja.

—...les dije que nunca más vinieran a pedirme dinero a mí, porque yo no manejo nada. Que yo los enviaría con gusto a la oficina de tu padre y que allí la secretaria los atendería°...

...la muñeca° delgadísima, de movimientos lánguidos, y la pulsera° con medallones del Cristo del Cubilete,[24] el Año Santo en Roma y la visita del Presidente Kennedy, realzados° en cobre y en oro, que chocan entre sí mientras doña Elena juega con el migajón...

—...bastante hace una con darles su apoyo moral, ¿no te parece? Te busqué el jueves para ir juntas a ver el estreno° del *Diana*.[25] Hasta mandé al chofer desde temprano a hacer cola°, ya ves qué colas hay el día del estreno...

...y el brazo lleno, de piel muy transparente, con las venas trazadas

he rejects our existence

fading

furniture

tulipwood/Chinese vases/mesh

picture windows, large windows/ ravine/topped with/little eyes

softens them

cigar/victrola/ slow, sentimental (Caribbean) songs/doughy center/roll/gush/comings and goings/ card game/ prayer meetings/ charity/arguments/whispered/ priests/ dressmakers/pastry shops/ cabinetmakers/ picture framers/ would take care of them/wrist/ bracelet

embossed

premiere

to stand in line

---

[23] Mexican Independence Day.

[24] *Cubilete* means "dice cup." A holy image of Christ in a church near Guanajuato (central Mexico) on top of a mountain shaped like a dice cup; hence its name.

[25] Movie theater on the *Paseo de la Reforma*, one of the main avenues in Mexico City.

como un segundo esqueleto, de vidrio, dibujado detrás de la tersura blanca°.

—...invité a tu prima Sandrita y fui a buscarla con el coche pero nos entretuvimos° con el niño recién nacido. Está precioso. Ella está muy sentida° porque ni siquiera has llamado a felicitarla. Un telefonazo no te costaría nada, Elenita...

...y el escote° negro abierto sobre los senos° altos y apretados° como un nuevo animal capturado en un nuevo continente...

—...después de todo, somos de la familia. No puedes negar tu sangre. Quisiera que tú y Víctor fueran al bautizo. Es el sábado entrante. La ayudé a escoger los ceniceritos° que van a regalarle a los invitados. Vieras° que se nos fue el tiempo platicando° y los boletos se quedaron sin usar.

Levanté la mirada. Doña Elena me miraba. Bajó en seguida los párpados° y dijo que tomaríamos el café en la sala. Don José se excusó y se fue a la biblioteca, donde tiene esa rocola° eléctrica que toca sus discos favoritos a cambio de un falso veinte° introducido por la ranura°. Nos sentamos a tomar el café y a lo lejos el *jukebox* emitió un glu-glu y empezó a tocar *Nosotros* mientras doña Elena encendía el aparato de televisión, pero dejándolo sin sonido, como lo indicó llevándose un dedo a los labios. Vimos pasar las imágenes mudas° de un programa de tesoro escondido°, en el que un solemne maestro de ceremonias guiaba a los cinco concursantes° —dos jovencitas nerviosas y risueñas° peinadas como colmenas°, un ama de casa° muy modosa° y dos hombres morenos, maduros y melancólicos— hacia el cheque escondido en el apretado estudio repleto de jarrones, libros de cartón y cajitas de música.

Elena sonrió, sentada junto a mí en la penumbra° de esa sala de pisos de mármol° y alcatraces° de plástico. No sé de dónde sacó ese apodo° ni qué tiene que ver conmigo, pero ahora empezó a hacer juegos de palabras con él mientras me acariciaba la mano:

—Nibelungo. Ni Ve Lungo. Nibble Hongo. Niebla lunga°.

Los personajes° grises, rayados°, ondulantes buscaban su tesoro ante nuestra vista y Elena, acurrucada°, dejó caer los zapatos sobre la alfombra y bostezó° mientras doña Elena me miraba interrogante, aprovechada de° la oscuridad, con esos ojos negros muy abiertos y rodeados de ojeras° profundas. Cruzó una pierna y se arregló la falda sobre las rodillas. Desde la biblioteca nos llegaban los murmullos del bolero: *nosotros, que tanto nos quisimos* y, quizás, algún gruñido° del sopor° digestivo de don José. Doña Elena dejó de mirarme para fijar sus grandes ojos negros en los eucaliptos agitados detrás del ventanal. Seguí su nueva mirada. Elena bostezaba y ronroneaba°, recostada sobre mis rodillas. Le acaricié la nuca°. A nuestras espaldas, la barranca que cruza como una herida° salvaje las

white smoothness
we were busy
hurt
low-cut neckline of a dress/breasts/crowded
small ashtrays
as you could see/talking
eyelids
jukebox
slug (for a 20 centavo *coin)/slot*
silent
treasure hunt
contestants/smiling/beehives/housewife/well-behaved
semi-darkness
marble/large lilies
nickname
Nor Sees Far. Nibble Mushroom. Long fog. (Multilingual pun.)/TV characters/streaked/curled up/yawned/taking advantage of/dark circles/grunt/stupor
purred/nape of the neck/wound

Lomas de Chapultepec parecía guardar un fondo de luz secretamente subrayado por la noche móvil que doblaba la espina° de los árboles y despeinaba° sus cabelleras pálidas.

bent the trunks / *dishevelled, ruffled*

—¿Recuerdas Veracruz?[26] —dijo, sonriendo, la madre a la hija; pero doña Elena me miraba a mí. Elena asintió con un murmullo°, adormilada sobre mis piernas, y yo contesté: —Sí. Hemos ido muchas veces juntos.

murmur

—¿Le gusta? —Doña Elena alargó la mano y la dejó caer sobre el regazo°.

lap

—Mucho —le dije—. Dicen que es la última ciudad mediterránea. Me gusta la comida. Me gusta la gente. Me gusta sentarme horas en los portales y comer molletes° y tomar café.

muffins

—Yo soy de allí —dijo la señora; por primera vez noté sus hoyuelos°.

dimples

—Sí. Ya lo sé.

—Pero hasta he perdido el acento —rió, mostrando las encías°—. Me casé de veintidós años. Y en cuanto° vive una en México pierde el acento jarocho°. Usted ya me conoció, pues, madurita°.

gums / *as soon as* / *from Veracruz/* / *rather mature*

—Todos dicen que usted y Elena parecen hermanas.

Los labios eran delgados pero agresivos: —No. Es que ahora recordaba las noches de tormenta en el Golfo. Como que el sol no quiere perderse, ¿sabe usted?, y se mezcla con la tormenta y todo queda bañado por una luz muy verde, muy pálida, y una se sofoca detrás de los batientes° esperando que pase el agua. La lluvia no refresca en el trópico. No más hace más calor°. Y no sé por qué los criados tenían que cerrar los batientes cada vez que venía una tormenta. Tan bonito que hubiera sido dejarla pasar con las ventanas muy abiertas.

shutters / no… *it only makes it hotter*

Encendí un cigarrillo: —Sí, se levantan olores° muy espesos°. La tierra se desprende de° sus perfumes de tabaco, de café, de pulpa…

smells/heavy / *gives up*

—También las recámaras°. —Doña Elena cerró los ojos.

bedrooms

—¿Cómo?

—Entonces no había closets. —Se pasó la mano por las ligeras arrugas cercanas a los ojos—. En cada cuarto había un ropero° y las criadas tenían la costumbre de colocar° hojas de laurel° y orégano entre la ropa. Además, el sol nunca secaba bien algunos rincones°. Olía a moho°, ¿cómo le diré?, a musgo°…

wardrobe / *to place/bay leaves/corners/* / *mold/moss*

—Sí, me imagino. Yo nunca he vivido en el trópico. ¿Lo echa usted de menos°?

miss

Y ahora se frotó° las muñecas, una contra otra, y mostró las venas saltonas° de las manos: —A veces. Me cuesta trabajo acordarme. Figúrese, me casé de dieciocho años y ya me consideraban quedada°.

rubbed / *protruding* / *old maid*

—¿Y todo esto se lo recordó esa extraña luz que ha permanecido en

[26] A city on the east coast of Mexico.

el fondo de la barranca?

La mujer se levantó. —Sí. Son los spots° que José mandó poner la semana pasada. Se ven bonitos, ¿no es cierto?

—Creo que Elena se ha dormido.

Le hice cosquillas° en la nariz y Elena despertó y regresamos en el MG a Coyoacán.

—Perdona esas latas° de los domingos —dijo Elena cuando yo salía a la obra° la mañana siguiente—. Qué remedio. Alguna liga° debía quedarnos con la familia y la vida burguesa, aunque sea por necesidad de contraste.

—¿Qué vas a hacer hoy? —le pregunté mientras enrollaba mis planos y tomaba mi portafolio.

Elena mordió° un higo° y se cruzó de brazos y le sacó la lengua a un Cristo bizco° que encontramos una vez en Guanajuato. —Voy a pintar toda la mañana. Luego voy a comer con Alejandro para mostrarle mis últimas cosas. En su estudio. Sí, ya lo terminó. Aquí en el Olivar de los Padres°. En la tarde iré a la clase de francés. Quizás me tome un café y luego te espero en el cine-club. Dan un western mitológico: *High Noon.*[27] Mañana quedé en° verme con esos chicos negros. Son de los Black Muslims y estoy temblando por saber° qué piensan en realidad. ¿Te das cuenta que sólo sabemos de eso por los periódicos? ¿Tú has hablado alguna vez con un negro norteamericano, nibelungo? Mañana en la tarde no te atrevas° a molestarme. Me voy a encerrar a leerme Nerval de cabo a rabo°. Ni crea Juan que vuelve a apantallarme° con el soleil noir de la mélancolie° y llamándose a sí mismo el viudo° y el desconsolado.[28] Ya lo caché y le voy a dar un baño° mañana en la noche. Sí, va a "tirar" una fiesta de disfraces°. Tenemos que ir vestidos de murales° mexicanos. Más vale asimilar eso de una vez°. Cómprame unos alcatraces, Víctor nibelunguito, y si quieres vístete del cruel conquistador Alvarado[29] que marcaba con hierros candentes° a las indias antes de poseerlas —Oh Sade,[30] where is thy whip? Ah, y el miércoles toca Miles Davis[31] en Bellas Artes.[32] Es un poco passé°, pero de todos modos me alborota el hormonamen°. Com-

spotlights
tickled
boring times
to the construction site/tie
bit into/fig
cross-eyed
a street name
I arranged to
dying to know
don't dare
from beginning to end/overwhelm/ soleil... *the black sun of melancholy (French)/widower/I got his number and I'll give it to him (slang)/costumes/dressed like characters in Mexican mural paintings/once and for all/branding irons/old hat (French)/*me... *he stirs up my hormones*

---

27 A classic western starring Gary Cooper and Grace Kelly.

28 Gérard de Nerval, French Romantic poet (1808-1855). These are references to one of his poems.

29 Reference to Pedro de Alvarado, one of Cortés' captains, famous for his courage and bad temper.

30 The Marquis de Sade (1740-1814), French writer whose works mixed eroticism with cruelty and gave his name to sadism.

31 Famous American jazz musician.

32 Large theater and concert hall in downtown Mexico City.

pra boletos. Chao, amor.

Me besó la nuca y no pude abrazarla por los rollos de proyectos° que traía entre manos, pero arranqué° en el auto con el aroma del higo en el cuello y la imagen de Elena con mi camisa puesta, desabotonada y amarrada° a la altura del ombligo° y sus estrechos pantalones de torero° y los pies descalzos°, disponiéndose a°... ¿iba a leer un poema o a pintar un cuadro? Pensé que pronto tendríamos que salir juntos de viaje. Eso nos acercaba° más que nada. Llegué al periférico.[33] No sé por qué, en vez de cruzar el puente de Altavista hacia el Desierto de los Leones, entré al anillo y aceleré. Sí, a veces lo hago. Quiero estar solo y correr° y reírme cuando alguien me la refresca°. Y, quizás, guardar durante media hora la imagen de Elena al despedirme, su naturalidad, su piel dorada, sus ojos verdes, sus infinitos proyectos, y pensar que soy muy feliz a su lado, que nadie puede ser más feliz al lado de una mujer tan vivaz°, tan moderna, que... que me... que me complementa tanto.

blueprints / *took off* / *tied/bellybutton/ tight pants/barefoot/getting ready to/brought up close* / *to speed up* / cuando... *when another driver curses me* / *vivacious*

Paso al lado de una fundidora de vidrio°, de una iglesia barroca, de una montaña rusa°, de un bosque de ahuehuetes°. ¿Dónde he escuchado esa palabrita? Complementar. Giro° alrededor de la fuente de Petróleos[34] y subo por el Paseo de la Reforma. Todos los automóviles descienden al centro de la ciudad, que reverbera al fondo detrás de un velo° impalpable y sofocante. Yo asciendo a las Lomas de Chapultepec, donde a estas horas sólo quedan los criados y las señoras, donde los maridos se han ido al trabajo y los niños a la escuela y seguramente mi otra Elena, mi complemento, debe esperar en su cama tibia° con los ojos negros y ojerosos° muy azorados° y la carne blanca y madura y honda y perfumada como la ropa en los bargueños° tropicales.

glassworks / *roller coaster/ kind of oak tree/ I turn around* / *veil (of smog)* / *warm/with rings under the eyes/ opened wide (here)/chests*

Conversación

1. ¿Qué tienen en común Elena y su padre?
2. ¿Qué tienen en común Elena y su madre?
3. ¿Cómo ves la relación entre madre e hija?
4. ¿Cómo ves la relación entre doña Elena y su esposo?
5. ¿Qué opinas de la vida matrimonial de Elena y Víctor?
6. ¿De dónde vienen las ideas de Elena sobre un *ménage à trois*?
7. ¿Qué piensas que Elena haría si supiera de la relación entre Víctor y su madre?

---

[33] Freeway in Mexico City, also called *anillo* (ring).

[34] Monument commemorating the nationalization of Mexican oil fields.

8. ¿Te choca *(shock)* mucho este cuento? Explica tus reacciones.
9. Comenta sobre la diferencia entre lo que Elena dice y hace y lo que Víctor dice y hace.
10. ¿Cuál es la influencia más fuerte en Elena hija, la cultura francesa o la norteamericana? Explica.

En la tumba del guerrillero

ERNESTO CARDENAL

INTRODUCTION: The poet addresses a dead soldier who died a hero's death fighting for his country's freedom. The lines are free unrhymed verse, much like Bible versicles.

On lines 1-5 he describes the disintegration of the dead body of the fighter and the dead bodies of the other men; lines 6-9 offer a cosmic view of our planet, seen from a great distance by men or extraterrestrial beings. Our planet looks small indeed, all the dead human beings are together in it. Lines 10-14 are a philosophical and scientific comment: sooner or later the earth will die, everything in it will return to the cosmos as atoms. On lines 15-20 attention is focused again on the dead hero: his loving atoms will not perish and will shine on forever. The dead hero will never be forgotten. Cardenal emphasizes this point by ending the poem with a military term, the soldiers' response to roll call.

En la tumba del guerrillero°

On the tomb of a guerrilla fighter

Pienso en tu cuerpo que se ha ido desbaratando° bajo la tierra
haciéndose suave° tierra, humus otra vez
junto con el humus de todos los demás° humanos
que han existido y existirán en la bolita° del mundo
haciéndonos todos juntos tierra fértil del planeta Tierra.
Y cuando los cosmonautas miren esta bola azul y rosa
en la noche negra
lo que estarán mirando, lejos, es tu luminosa tumba
(tu tumba y la de todos)

crumbling
soft
the others
small ball

y cuando los extraterrestres desde alguna parte
miren este punto de luz de la Tierra
estarán mirando tu tumba.
Y un día será todo tumba, silenciosa tumba,
y ya no habrá más seres vivos° en el planeta, compañero. *living beings*
¿Y después?
Después nos desbarataremos más, volaremos, átomos en el cosmos.
Y tal vez la materia° es eterna, hermano, *matter*
sin principio ni fin o tiene un fin y recomienza cada vez.
Tu amor sí tuvo un comienzo pero no tiene final.
Y tus átomos que estuvieron en el suelo de Nicaragua,
tus átomos amorosos°, que dieron la vida por amor, *loving*
ya verás, serán luz,
me imagino tus partículas en la vastedad del cosmos como pancartas°, *placards*
como afiches vivos°. *living posters*
No sé si me explico.
Lo que sé es que nunca se olvidará tu nombre
y para siempre se gritará: ¡Presente!

Opiniones

1. Fundamentalmente, ¿es éste un poema que trata de la muerte y la desesperación? ¿o es el tema el amor y la esperanza?
2. ¿Por qué nos presenta el poeta una visión de la tierra desde fuera de la tierra, desde muy lejos?
3. ¿Qué palabras, frases, ideas, se conectan con la ciencia moderna, y en qué forma contribuyen al sentido del poema?
4. El final del poema, los tres versos (*lines*) finales ¿parece una conclusión adecuada o no? Explica.
5. ¿Conoces un poema en inglés que trate de la muerte de un guerrillero o soldado que puedas comparar con éste?

La muerte no existe

JOSE MARIA CARRASCAL

INTRODUCTION: This little tale is one of the many scattered throughout *La muerte no existe*. As in the Borges story that follows, Carrascal ascribes it to another author, a K. Mantovic who writes in the year 9114 or a little over 2000 years after the events related. Thus the tale begins by providing the historical details the average reader in the year 9114 would need to know about the "ancient" period during which the story takes place.

K. Mantovic projects us into the action immediately by introducing a dialogue between the space captain — who is never given a proper name — and the bureaucrat who opposes his plans. The space captain's announcement that he has invented a job is followed by two paragraphs describing how in this society — future for us, past for its supposed author — having a job is a supreme privilege and creating a new job means facing horrendous red tape. Obviously, the narrator's viewpoint is one of great sympathy for the captain, not the bureaucrat. He comments that the captain's flippancy (*desparpajo*) seems to bother the grouch (*cascarrabias*) whom we remember from the first sentence as having a sour face (*cara de vinagre*).

As you have noticed, Carrascal's story is anecdotal. He is interested in providing a brief glimpse of some future world, not in analyzing the people who will inhabit it. The characters are basically types, the petty, suspicious bureaucrat and the independent seeker of adventure. The assumption is that technology will have little effect on human nature.

Like most writers of science fiction, Carrascal grounds his future world in tendencies already well established today. In order to initiate a change, the first step in the bureaucratic procedure is to file an application (*hacer la solicitud*). On the computer he must reduce to code (*claves*) the principal characteristics of his idea. Next comes a humorous description of the action on the computer's screen (*pantalla*) which becomes covered with electrons that practice a joyful dance (*que se llenó de electrones que ensayaban una danza... jubilosa*).

In the following paragraph the writer switches from the imperfect to the present tense, producing a sense of immediacy and familiarity. The narrator tells us that the bureaucrat almost has a heart attack (*Al tipo de la ventanilla por poco le da un síncope*) and accuses the other of possibly having introduced a fake code. (*¿No me habrá metido una clave trucada?*)

A humorous dialogue follows in which the inventor retaliates by suggesting that he will propose the elimination of the bureaucrat's job because after all (*al fin y al cabo*) the computer does everything (*todo lo hace el computer*). To this his antagonist retorts that advertisements in space have already been invented. The inventor now explains in poetic language how his idea differs from anything known up to that time. In the past they had simply fastened a large sign to the tail of a rocket and exhibited it around a city. (*Está inventado enganchar un gran letrero a la cola de un cohete y pasearlo así por los alrededores de una Ciudad.*) He would now announce or advertise with his own body, turn himself into a trapeze artist without a trapeze, without a net (*sin trapecio, sin red*).

We are now given more details about the operation. The inventor had designed for himself a space suit that clings to his body almost like a second skin (*que se pegaba casi como una segunda piel al cuerpo*) in spite of the fact that it contained everything that was necessary to exist in space (*pese a llevar todo lo necesario para subsistir en el vacío*). He also added the purely decorative touch of enormous red wings (*alas*).

The scene of the action has now subtly changed from a government office to the Universe and the space captain is making history and legend. Girls are sending him letters, children are dreaming about him.

The newly invented job also turns out to be a voyage of self-discovery. He realizes that his true environment is space, weightlessness and interstellar emptiness (*su verdadero ambiente era el vacío, la ausencia de peso, la nada sideral*). He really begins to live every time the rocket that pulls him releases the hook (*soltaba el gancho de unión*).

Finally, this brief history comes to an abrupt ending. The author tells us that the space captain never married, never fell in love, since there was no one willing to share his life of interstellar vagabond. He got lost one night in an inner orbit of the System. He had said that he wanted to see the sun up close (*de cerca*), and the pilot of the rocket did not try to dissuade him because the captain had taken so many risks (*riesgos*) before without incident. Only when the captain didn't appear at their prearranged meeting place (*la cita de atraque*) and the rocket was almost out of fuel (*empezaron a agotársele las reservas de combustible*) did the pilot finally give the captain up as lost and start home.

But what makes the space captain such an avid risk-taker? What makes the bureaucrat so negative in attitude? These answers must be supplied by you as reader if you have the curiosity to consider such questions. Do certain professions mold character or do they only attract people of similar personalities? Do you see yourself in either of these roles?

Del libro "HOMBRES Y HECHOS CURIOSOS", por K. Mantovic — 9114.

"El capitán del espacio"

—He inventado un empleo, dijo sonriente, ante la cara de vinagre del otro.

Dado que en el 7054 se había inventado el superrobot, que no sólo hace un trabajo, sino incluso otros robots, cada vez quedaban menos cosas que hacer, y la gente se dedicaba a inventar empleos, con la esperanza de que se los adjudicasen°. No porque el no tenerlo significara el hambre o la indigencia° —el seguro° bastaba para manternerle a uno decentemente, aún sin trabajar toda la vida—, sino por el simple hecho de hacer algo, de ocuparse en algo. El trabajo había pasado de castigo° a premio°, y los que lo tenían se consideraban privilegiados. Pero sólo los más expertos, los más hábiles° en sus respectivas materias obtenían una colocación°. El resto se limitaba a vivir, a hacer lo que quisieran, a vagar° por parques, aceras°, jardines, a charlar con los amigos, a escuchar conciertos en las plazas, a apuntarse° a todas las expediciones gratis, a pintar en las grandes paredes, a modelar plástico ultraporoso, dispuesto° exprofeso° en las "áreas culturales".

Pero uno se cansaba de ello y de ahí que la mayor actividad terminó siendo el inventar empleos, de lo que habían surgido, junto a los mayores disparates°, auténticas genialidades°, innovaciones sorprendentes para la vida del Sistema. No era fácil, de todas formas, ser aceptado. Existían una serie de normas —necesidad social del nuevo trabajo, rentabilidad° y posibilidad de ponerlo en práctica sin excesivo riesgo°—, que se respetaban a rajatabla°. Por eso, cuando aquel joven se presentó en la Oficina de Desarrollo Laboral, con su afirmación categórica —He inventado un empleo, el funcionario le miró de arriba abajo°, antes de indicarle una máquina de pantalla apagada°, al lado.

—Tiene que hacer la solicitud°.

El parecía muy seguro de lo que decía.

—Muy bien. ¿Dónde la hago?

award
poverty/insurance
punishment
reward
capable
position/wander
sidewalks
sign up for
prepared
especially (for)
foolish ideas/brilliant ideas
return on investment/risk
strictly
from head to toe
empty screen
application

Al cascarrabias° pareció molestarle tanto desparpajo°.

grouch/flippancy

—¿Dónde la va a hacer? En la computadora, naturalmente. ¿Qué clase de inventor es usted que no lo sabe? Exponga las características del empleo que dice haber inventado, y ya veremos lo que decide.

Se puso ante ella y tras reducir a claves° las principales características de la idea, envió las fórmulas al vientre° del pequeño monstruo, a impulsos de pulsaciones ágiles y seguras.

code
guts

Tendría unos treinta años, moreno, de ojos intensos y risueños°. Por unos segundos, mientras digería la información, la pantalla ante él se llenó de electrones que ensayaban una danza libre y jubilosa. Pero poco después, alguien les llamaba al orden desde detrás y se alineaban como reclutas° disciplinados, para formar la palabra: "Aceptado".

smiling
recruits

Al tipo de la ventanilla por poco le da un síncope.

—Es el segundo que veo aceptar y llevo aquí diez años. ¿Está seguro de que lo hizo como le dije? ¿No me habrá metido una clave trucada?

Hablada como si el computer le perteneciese. O los empleos. El otro se volvió inocente.

—Ahora que me acuerdo, tenía otra idea que someter.

—¿Otra? ¿Cuál?

—Eliminar su puesto°. Al fin y al cabo, todo lo hace el computer.

job

Aquello le ablandó. Hasta intentó sonreir. Pero se le había olvidado.

—No diga tonterías, joven. ¿Cuál es su invento? —echó una ojeada° a la larga cinta° que expulsaba la computadora— ¿Anunciar° en el vacío°? ¿Pero eso no está ya inventado?

he cast a glance
tape/advertise/ space

El hablar de su idea le hacía olvidar todo lo demás, le transfiguraba.

—No. Está inventado enganchar un gran letreto a la cola de un cohete y pasearlo así por los alrededores de una Ciudad. Pero lo que yo propongo es otra cosa mucho más efectiva, con emoción, con impacto: anunciar algo en persona, exponerlo en el espacio lento o rápido, lineal o en filigrana°, directo o simbólico, hacer un arte de ello. ¿Se lo imagina? Un hombre en el cosmos, un trapecista sin trapecio, sin red, como un gran pájaro iluminado, movido por la inteligencia, la sensibilidad, la imaginación. Y toda la gente del Sistema contemplándole. ¿Se lo imagina?

lineal... *in straight or curved lines*

El otro no parecía del todo convencido, pero no se atrevió° a ponerle más objeciones. O posiblemente era el respeto que tenía al computer.

dared

—Bueno, ya veremos. ¿Costará mucho?

Como tenía pensado hasta el último detalle, la puesta en práctica de la idea fue cosa de un par de meses. Se había diseñado° una escafandra° tan funcional que se le pegaba casi como una segunda piel al cuerpo, pese a llevar todo lo necesario para subsistir en el vacío, y eligió unas enormes alas rojas, aunque sabía que eran innecesarias: allí arriba, una vez adquiri-

designed/space suit

da una determinada dirección y velocidad, podían mantenerse indefinidamente, mientras no actuasen° fuerzas contrarias. Pero las alas, aparte de facilitar su localización, multiplicaban la espectacularidad.

brought to bear

Pronto fue una figura familiar por el Sistema, en las inmediaciones° de las Ciudades, en las rutas más frecuentadas entre ellas. Los capitanes de las naves° le saludaban°, las chicas le enviaban cartas en papel amarillo, los niños soñaban con° él. Hasta le pusieron un nombre: "El capitán del espacio". Empezó anunciando toda clase de productos, pasó luego a llevar slogans cívicos y terminaron por dejarle hacer lo que quisiera, que era cada vez más sutil, más complicado, más jubiloso, para asombro y emoción de los de abajo.

outskirts
space ships/greeted/dreamed about

Desde el primer momento, descubrió que su verdadero ambiente era el vacío, la ausencia de peso°, la nada sideral°, la conversión completa en voluntad y pensamiento, el dominio perfecto del cuerpo con las facultades superiores, y cada vez que el cohete que le arrastraba° soltaba° el gancho de unión°, sentía que empezaba a vivir realmente, que aquel era su verdadero mundo, no el angosto° de las Ciudades, el limitado de los satélites, el bochornoso° de los planetas.

weightlessness/interstellar emptiness/towed/released/coupling
narrow (world)
stuffy

No se unió a mujer alguna, ni se enamoró siquiera por no encontrar a nadie dispuesto a compartir con él aquella vida de vagabundo sideral. Pero parecía siempre contento.

Se perdió una noche en las órbitas más internas del Sistema. Había dicho que quería ver el sol de cerca°, y el piloto del cohete, que le conocía, consideró una pérdida de tiempo tratar de disuadirle. Por otra parte, le había visto salir de tantos y tan asombrosos riesgos que no llegó a pasársele realmente por la cabeza que su vida peligrara. Había terminado por considerarle un ser celestial, como un eclipse o un meteorito, al que no pueden hacer daño° las fuerzas oscuras del cosmos. Sólo cuando no acudió° a la cita de atraque y, tras siete días de búsqueda° infructuosa, empezaron a agotársele las reservas de combustible, le dio definitivamente por perdido y puso rumbo a casa, mientras pensaba cómo iba a dar la noticia.

from close up
harm
appear/search

Conversación

1. ¿Qué opinas acerca del capitán del espacio: es un héroe, un exhibicionista, un loco?
2. ¿Hay algo en este cuento que te parece totalmente verdadero y auténtico?
3. ¿Has pensado alguna vez en una invención útil pero un poco ridícula? ¿Quieres describirla?

4. Explica por qué te gustaría vivir en una sociedad como la que describe el autor o por qué no te gustaría vivir allá.

Composición

1. ¿Cuales son las hipótesis básicas para la descripción que hace el autor de una sociedad futura en que hay abundancia material pero también hay desempleo?

Los dos reyes y los dos laberintos

JORGE LUIS BORGES

INTRODUCTION: The tale by Jorge Luis Borges which you are about to read is typical of the Argentine writer in that it is short, fantastic, highly literary — that is, it is based on earlier literature — and dominated by a moral. This kind of story can also be called a parable. The sentences are often short and deceptively simple. But each word is chosen as carefully as if it were a component in one of Borges' poems.

The model for this tale comes from *The Arabian Nights* or *The Thousand and One Nights,* the classic Oriental tales that were supposedly told by the captured slave Scheherazade to the Sultan in order to postpone the moment of her death. "*Cuentan los hombres dignos de fe*" (men worthy of trust tell us) is a typical introduction to this type of tale. The intimation of fantasy is suggested by the information that the king ruled "*las islas de Babilonia*" when we know that Babylon was an ancient city, not a collection of islands. The proper tone of religious inspiration is supplied by the parenthetical reference to Allah: "*pero Alá sabe más.*" The moralistic tone of the tale is also reinforced by pointing out the pretensions of the Babylonian king who dared to construct an edifice that was confusing and marvelous, a prerogative of Allah alone.

Next Borges tells us that in time, an Arabian king came to the Babylonian court. This intentional anachronism is typical of Borges. He well knows that the Arabs as such did not enter the theatre of history until 622 A.D., long after the kingdom of Babylon had been destroyed: an Arabian king would have found only ruins. Borges thus suggests that the tale is both true (men worthy of trust tell it) and false (since it is historically impossible). Its "truth" must be of an unworldly nature.

In keeping with the supposed Arabic origin of the tale, Borges presents the Arabian king as a devout Muslim who through prayer receives divine help and eventually finds the exit to the labyrinth into which he had been forced by the King of Babylon. The Arabian king is the incarnation of virtue. He does not complain about the treatment received (which has been a breach of the ancient rules of hospitality). Borges writes: *"sus labios no profirieron queja ninguna"* (his lips uttered no complaint). He uses antiquated, elegant language. (Such verbs as "decir" or "hacer" are obviously too common for describing the Arabian king's action.)

Now the element of mystery is introduced by the Arabian king's statement that he had an even better labyrinth that the Babylonian one and that Allah willing he would make it known to him some day *(se lo daría a conocer algún día).* There is no padding in Borges' stories. In the next few lines the Arabian king has his revenge. He laid waste *(estragó),* in the military sense, the kingdom of Babylon and made a prisoner of the king. He then tied the king to a camel and rode with him into the desert. Now the Arabian king utters a salutation which at first appears to be an Arabic formula and/or a characterization of great praise: *"Oh, rey del tiempo y substancia y cifra del siglo"* (Oh king of time and wealth and sum of the century), but which we soon see is spoken in irony. He tells the Babylonian that the Almighty has seen fit to show him his own Arabian labyrinth *("el Poderoso ha tenido a bien que te muestre el mío").* In fact he is deriding the flamboyant labyrinth of his enemy with all its man-made artifice.

In the final paragraph, which is the *desenlace* — the outcome of the plot — he unbinds the king of Babylon *(le desató las ligaduras)* and leaves him in the midst of the desert, which is, of course, the Arab king's own labyrinth and also that of Allah. The Babylonian dies of hunger and thirst. And to underline again the morality of the tale and its Arabic origin, Borges concludes "Glory be with Him (i.e., Allah) who does not die."

We are left to speculate about Borges' concept of the labyrinth, which appears in many of his stories. Here the contrast is between a labyrinth as God-made vastness (the desert) and a labyrinth as human invention. Although Borges' style is not complicated, the difficulty lies in the philosophical nature of his message. It is up to us as readers to ponder the meaning of the labyrinth as it is understood by the Arabian king.

Los dos reyes y los dos laberintos

Cuentan los hombres dignos de fe (pero Alá sabe más) que en los primeros días hubo un rey de las islas de Babilonia que congregó a sus arquitectos y magos° y les mandó construir un laberinto tan perplejo y sutil que los varones° más prudentes no se aventuraban a entrar, y los que entraban se perdían. Esa obra era un escándalo, porque la confusión y la maravilla son operaciones propias de° Dios y no de los hombres. Con

magos°: *magicians*
varones°: *men*
propias de°: *that belong to*

el andar° del tiempo vino a su corte un rey de los árabes, y el rey de Babilonia (para hacer burla° de la simplicidad de su huésped°) lo hizo penetrar en el laberinto, donde vagó° afrentado° y confundido° hasta la declinación de la tarde. Entonces imploró socorro° divino y dio con° la puerta. Sus labios no profirieron queja ninguna°, pero le dijo al rey de Babilonia que él en Arabia tenía un laberinto mejor y que, si Dios era servido, se lo daría a conocer algún día. Luego regresó a Arabia, juntó sus capitanes y sus alcaides° y estragó° los reinos de Babilonia con tan venturosa° fortuna que derribó° sus castillos, rompió sus gentes e hizo cautivo° al mismo rey. Lo amarró° encima de un camello veloz y lo llevó al desierto. Cabalgaron° tres días, y le dijo: "¡Oh, rey del tiempo y substancia y cifra del siglo!, en Babilonia me quisiste perder° en un laberinto de bronce con muchas escaleras, puertas y muros; ahora el Poderoso ha tenido a bien° que te muestre el mío, donde no hay escaleras que subir, ni puertas que forzar, ni fatigosas galerías que recorrer°, ni muros que te veden el paso°."

Luego le desató las ligaduras° y lo abandonó en mitad del desierto, donde murió de hambre y de sed. La gloria sea con Aquel que no muere.

with the passage
to poke fun/ guest/wandered/ humiliated/confused/aid/found/ no... *uttered no complaint*

lieutenants/destroyed/good/ tore down/captive/tied/they rode/tried to lose me

ha... *has seen fit*
fatigosas... *wearisome corridors to traverse/prevent one's passage/*le... *untied his bonds*

Composición o conversación

1. ¿Has entrado alguna vez en un laberinto verdadero (como en un circo o un jardín formal)? Si es así, describe tus sentimientos. ¿Has soñado con laberintos? Si es así, cuéntanos el sueño y cómo te afectó. (Una casa enorme donde uno se pierde y de donde no se puede salir también es un laberinto.)
2. ¿Estás de acuerdo con la declaración que "la confusión y la maravilla son operaciones propias de Dios y no de los hombres"? ¿Puedes relacionar esta declaración con la exploración del espacio?
3. ¿Crees que a los reyes árabes de hoy les gustaría a este cuento o no? Explica.
4. El laberinto es símbolo de la vida misma. Explica.
5. ¿Crees que había un factor en la vida de Borges que le empujara (*prodded*) a inventar laberintos?